# 어떤 수학 선생님이 되고 싶으세요?

라는 질문에 수학 선생님들의 답은 비슷합니다. 학생들이 수학을 즐겁게 여기도록 만들고 싶고, 수학적 사고력을 키워 일상생활에서 도움이 되길 바랍니다. 하지만 현실은 '수포자'라는 단어가 익숙하고, 학생들에게 듣는 '수학 왜 배워요?'와 같은 질문이 상처로 다가옵니다.

사실 배우는 것은 원래 즐거운 일입니다. 호기심 가득하고, 뭐든 하고 싶어 했던 어린 아이를 보면 교사로서, 어른으로서 마음의 짐을 갖게 됩니다. 배우길 즐거워하던 본성을 우리가 지워버렸다는 죄책감과 함께 어떻게 하면 다시 회복시킬 수 있을지에 대한 고민을 갖게 됩니다. 이 책은 그러한 과정에 있습니다. 학생들에게 호기심을 유발하고, 궁금증을 해결하기 위해 배울 수 있도록 수업을 구성하려고 노력합니다.

그러기 위해서 교사는 교과서의 내용을 왜 배우는지 깊이 성찰해 보아야 합니다. 지금껏 우리는 교과서에 제시된 내용을 제시된 방법으로 제시된 순서에 맞추어 수업해 왔습니다. 하지만 이러한 구성은 배움에 있어 너무나 자연스럽지 못합니다. 학생 입장에선 배움에 대한 동기가 유발될 수 없는 구조입니다. 교과서의 각 단원(혹은 여러 단원)을 학생들이 학습해야 하는 이유에 대해 교사는 자기 나름의 답을 가져야 합니다. 이 답이 교사가 학생들에게 바라는 수업 목표가 될 것입니다.

수업목표는 기존의 학습목표나 성취기준과 다릅니다. 학생들의 배움의 즐거움을 회복하기 위해서 이번 단원의 역할을 부여하는 일입니다. 단순히 암기와 문제 풀이를 잘하게 만드는 것이 아닌 학생들이 진짜 수학적 사고를 경험하고 그 의미를 충분히 음미하게 만들기 위해 필요한 수업의 나침반입니다.

방향 설정이 잘 되었다면 학생들이 학습할 내용 요소를 살펴볼 필요가 있습니다. 이는 성취기준에 드러나고 있습니다. 하지만 성취기준은 자신이 세운 수업목표에 비추어 해석되어야만 합니다. 자주 등장하는 '이해하는', '할 수 있다.' 등의 표현이 자신의 수업목표에 비추어 어떤 의미인지 성찰하고, 자신의 수업목표에 어울리는 성취기준은 어떤 것인지 고민해야 합니다.

이렇게 새로운 성취기준을 만족시키는 수업을 우리는 재창조해야 합니다. 이 책에서 제시하는 내용은 하나의 예시일 뿐입니다. 제가 생각하는 목표와 저의 사고 흐름에 따라 제작된 자료이며, 이를 토대로 선생님들도 제대로 교육과정을 고민하고 수업을 새롭게 창조하는 과정을 함께 경험하게 되길 바랍니다.

이러한 과정을 통해 학생들에게 의미 있는 수학적 사고를 경험시키고, 그 과정에서 학생들이 수학하는 즐거움을 얻고, 선생님들도 행복하게 되길 바랍니다.

글쓴이 박진환
e-mail : hwanys2@naver.com
WebSite : https://foreducator.com

# 제작 후기

"

학생들이 수학을 즐기는 방법을 탐구하는 과정은 저에게도 성장과 깊은 고민의 기회였습니다. 이 과정을 통해, 교육의 본질과 학습의 즐거움을 재조명하는 중요한 시간을 가질 수 있었습니다. 많은 선생님이 함께 이 책으로 수업을 진행하여 많은 학생들이 수학의 즐거움을 느끼기를 기대합니다.

광양골약중학교 박진환

"

'수학을 왜 배워야 할까?', '학생들은 수학을 어떻게 배워야 할까?', '내 수업을 통해 학생들이 어떻게 성장하길 바라지?' 늘 고민해 왔습니다. 이 과정을 통해 그것을 선생님들과 함께 고민하는 것이 즐거웠습니다.  앞으로도 질문을 품고 사는 교사가 되고 싶습니다. 제가 만나는 학생들도 그렇게 살기를 바랍니다. 이 책을 통해 선생님의 수업을 질문이 선물로 다가오는 시간으로 만드시길 바랍니다.

순천별량중학교 주희주

"

교사가 가르치기 쉬운 방법이 아닌, 학생들이 수학을 어떻게 배우느냐에 초점을 둔 과제 개발은 제게 어렵기도 했습니다. 개발한 과제로 수업을 했을 때, 학생들이 수학적 발견을 하는 모습이 계속 연구하고 싶은 마음을 들게 합니다. 계속해서 함께 연구하고 수업해보며 좀 더 좋은 과제를 만들어가고 싶습니다.

구례중학교 김순화

"

과제를 읽었을 때 흥미와 호기심을 불러일으키는 소재로 수업하는 것을 좋아하는 편입니다. 선생님들과 함께 수업 자료와 관련 있는 소재를 개발하고 학생들의 반응을 예측해보는 과정에서 많은 배움이 있었습니다. 이 자료가 다른 교실의 배움에 보탬이 되길 소망합니다.

광영중학교 한혜진

"

수학을 배우는 과정에서 '아하'를 느낄 수 있는 수업을 만들기 위해 고민하고 또 고민하는 과정을 즐기며 교직생활에 임했습니다. 혼자 고민하는 것보다 같은 고민을 가진 선생님들과의 대화가 너무 즐거웠고 저에겐 큰 성장이고 기쁨이었습니다. 앞으로도 계속해서 고민하고 성장하는 교사가 되기 위해 노력하려 합니다. 많은 선생님들이 이 책으로 수업하며 고민하고 선생님들만의 아이디어로 행복하고 즐거운 수학시간을 만들어가시길 기대합니다.

광양골약중학교 조유정

# 1

## 교육 목적으로 널리 공유하고 사용하세요.

**수업개선 및 수학 수업에 관한 연구 목적으로 pdf 파일을 공유하는 것은 적극적으로 권장**합니다. 여러 수학 선생님들이 활용하여 많은 학생들이 수학의 즐거움을 알아가면 좋겠습니다. pdf 파일을 공유하거나 파일을 복사하여 배포하는 등 다양한 방법으로 자유롭게 활용하세요. 단, **hwp 원본 파일을 공유하거나, 상업적 목적을 위해 사용하는 것은 금**합니다.

pdf 다운로드 가능 주소 : https://foreducator.com/math/

# 2

## 수학하는 즐거움 2학년 정회원으로 등록하세요.

**정회원 혜택**

1. 정회원으로 등록하신 선생님에게는 hwp 원본 파일을 제공합니다. 수정해서 본인 수업에 맞게 사용하는 것이 필요하다는 판단입니다.

2. 수학하는 즐거움이 업데이트되는 경우 업데이트된 자료를 메일로 받아보실 수 있습니다.

3. 수업 후기나 수학하는 즐거움과 함께 할 만한 활동과 관련된 내용을 메일로 받아보실 수 있게 됩니다.

**정회원 등록 방법**

1. '수학하는 즐거움 중학교 2학년'을 인터넷 서점(bookk, yes24 등)에서 구입합니다.

2. 책이 도착하면 이름, 소속, 날짜를 적은 종이를 책위에 올려 사진을 찍습니다.

3. https://foreducator.com에 가입합니다.(소셜로그인 구글,네이버 등)

4. https://foreducator.com/tboard/인증/ 에 2에서 찍은 사진을 업로드 합니다(foreducator 사이트 상단 메뉴 Board에서 인증을 눌러 들어갈 수도 있습니다.).

5. 승인 완료 후 자동으로 확인 메일과 함께 파일이 전송됩니다(최대한 빠르게 처리해 드리겠습니다.).

※ foreducator는 현재 제가 직접 운영하는 사이트입니다. 메일링 서비스를 쉽게 운영하기 위해 위 방법을 이용하는 것임을 양해해 주시기 바랍니다. 또한, '수학하는 즐거움' 게시판에서 수학하는 즐거움과 관련된 내용을 공유할 수 있으니 많은 관심 부탁드립니다.

# 수학하는 즐거움
# 중학교 2학년

수학하는 즐거움을 통해
학생들에게 배움의 즐거움을
선사해 보세요.

## 📎 참고사항

현재 모든 단원의 내용을 개발하진 못하였습니다. **'식의 계산'**단원과 **'사각형의 성질'**단원의 **내용이 누락**되어 있습니다. 2024학년도가 시작하기 전에 자료를 보급하려는 일정을 맞추다 보니 미완성된 자료를 제공하게 되었고, 제작된 자료에 대한 면밀한 검토도 부족한 상황입니다. 3페이지의 **'수학하는 즐거움 2학년 정회원'** 등록 방법으로 등록하시면 이메일을 통해 **추가 제작된 자료 및 수정 자료를 전송**해드리도록 하겠습니다.

# Contents

# 단원 설정 개요

수학하는 즐거움은 일반적인 교과서 구성과 큰 차이를 보입니다. 수와 식의 계산 단원에서 관련성이 부족한 두 개의 중단원을 분리하여 '유리수와 순환소수'만을 하나의 단원으로 설정하였습니다. 일차식이라는 소재로 하나로 묶을 수 있는 부등식과 연립방정식 단원과 일차함수 단원을 묶어 '일차식의 세계'로 통합하였습니다. 이는 단순한 물리적 결합이 아닙니다. 학생들에게 일차식과 관련된 여러 가지 개념을 서로 다양한 방법으로 연결시킴으로써 학생들의 학습을 도우려 합니다. 또한 도형 단원을 하나로 묶으며, 닮음으로 시작하여, 닮음을 통해 피타고라스 정리를 도입하고, 삼각형의 중심을 하나로 묶어 자연스럽게 연계성을 가지도록 구성하였습니다. 그리고 마지막으로 기존 교과서와 동일한 확률 단원이 등장합니다. 하지만 세부적으로 보면 경우의 수로 시작하는 것이 아닌 학생들에게 친숙한 개념인 '확률'을 바탕으로 경우의 수가 필요로 등장하도록 구성하였습니다.

# 1 / 유리수와 순환소수

※ 수업의 목표와 흐름

1. 유리수와 순환소수

# 1

## 불편함의 해소 과정에서 배우기.

 분수를 소수로 표현하고, 소수를 분수로 표현하는 과정에 대해 배우는 단원입니다. 소수는 크기를 쉽게 비교할 수 있는 장점이 있고, 분수는 비율의 본래 의미를 보존하고, 연산 과정에서 편리하다는 장점을 가집니다.

 분수를 소수로 표현하게 되면 불편한 경우가 생깁니다. 무한소수로 표현되는 경우인데, 이때 그 불편함을 순환소수가 어느 정도 해소해 줄 수 있습니다. 그러나 이러한 표현에도 해소되지 않는 불편함은 연산하는 과정에 있습니다. 순환소수끼리는 간단한 덧셈도 어렵고, 곱셈은 불가능에 가깝습니다. 이러한 불편함은 순환소수를 분수로 변환할 수 있다면 해결 가능해지며, 이러한 불편함을 의도적으로 학생들에게 경험시키면서 학생들이 스스로 불편함을 해소해가는 과정에서 배움이 가능하도록 자료를 설계하였습니다.

# 1 수업목표

분수와 소수를 변환하는 과정에서 의도적으로 불편함을 부각하고, 그 불편함을 해결하는 경험을 제공하며, 그 과정에서 유리수와 순환소수를 이해하도록 합니다.

# 2 경험 구성의 원리

- 분수를 소수로, 소수를 분수로 표현할 필요성을 바탕으로 경험을 설계합니다.
- 변환의 과정을 통해 학생이 자신의 불편함을 해소했다고 느끼도록 경험을 설계합니다.

# 3 성취기준 재해석을 통한 학생 경험 구성

**[9수01-06] 순환소수의 뜻을 알고, 유리수와 순환소수의 관계를 설명할 수 있다.**
**[성취기준 재해석]** 순환소수의 뜻을 알게 되는 것은 분수를 소수로 표현하는 과정에서 자연스럽게 드러나도록 구성할 수 있습니다. 이때 표현상의 불편함을 인식하고, 무한소수로 표현되는 분수는 순환소수밖에 될 수 없다는 것을 확신하게 되는 것이 중요합니다. 유리수와 순환소수의 관계는 분수를 소수로, 소수를 분수로 변환하는 과정에서 그 이유와 원리를 탐색하기 위한 경험들이 진행되어야 가능해 집니다.

> **수업에서 필요한 학생 경험**
> - 분수를 소수로 변환할 필요가 있는 상황을 통해 자연스럽게 변환하고 그 특징에 대해 탐구하는 경험. 탐구의 과정 중 무한소수로 인한 표현상의 불편함을 느끼고 이를 해결하기 위한 방법을 모색하는 경험.
> - 순환소수를 분수로 표현해야 할 필요를 느끼게 하는 경험. 이때 어려움을 촉발하는 원인을 파악하고 이를 제거할 수 있는 방법에 대해 고민하는 경험.

# 4 수업의 흐름

## 1. 분수를 소수로 변환시 이점 및 이때 나타나는 특징 탐구
분수를 소수로 나타내야 할 필요를 느끼고 자연스럽게 나타내는 과정에서 소수의 특징을 찾아보게 합니다. 그 소재로 야구선수의 타수와 안타의 비율 즉, 타율을 구하는 활동을 제시하여 분수를 소수로 표현하는 활동을 진행하고, 소수의 특징을 살펴봅니다.

## 2. 유한소수나 순환소수로 표현됨을 확인하기
분모가 7인 기약분수를 직접 나누는 과정을 통해 분수를 소수로 표현했을 때, 무한소수로 나오는 경우, 순환소수밖에 될 수 없다는 사실에 대해 탐구합니다.

## 3. 순환소수 정의 및 표현
모든 분수가 유한소수나 순환소수로 표현된다면, 순환소수를 간단하게 표현할 필요가 발생합니다. 공학도구를 활용하여 아무리 복잡한 수도 순환소수가 됨을 직접 확인하며, 순환소수를 정의하고 직접 표현해봅니다.

## 4. 순환소수 결정 조건
공학도구를 활용하여 순환소수와 순환마디를 결정하는데 분모의 역할이 큼을 인식하게 합니다.

## 5. 유한소수로 표현되는 분수
유한소수로 표현되는 분수의 특징을 분모에 집중하며 탐구합니다.

## 6. 순환소수의 분수 변환의 필요성 및 변환 방법 탐구
순환소수를 직접 더하고 곱해보게 함으로써, 계산이 불가능함을 직접 경험하게 합니다. 이를 통해 순환소수를 분수로 바꿀 필요를 느끼게 하고, 그 방법에 대해 탐구하게 합니다.

## 기아타이거즈 타자 분석

2023 KBO 정규시즌의 기아타이거즈 타자들의 기록입니다. 타수(공을 친 횟수)와 안타의 기록을 보고 2023 타자들의 순위표를 만들려고 합니다.

| | 이름 | 타수 | 안타 | 기록 비교를 위한 자료 처리 | 순위 |
|---|---|---|---|---|---|
| 1 | 고종욱 | 270 | 80 | | |
| 2 | 김규성 | 158 | 37 | | |
| 3 | 김도영 | 340 | 103 | | |
| 4 | 김선빈 | 419 | 134 | | |
| 5 | 김태군 | 311 | 80 | | |
| 6 | 김호령 | 95 | 17 | | |
| 7 | 나성범 | 222 | 81 | | |
| 8 | 박정우 | 9 | 3 | | |
| 9 | 박찬호 | 452 | 136 | | |
| 10 | 변우혁 | 200 | 45 | | |
| 11 | 소크라테스 | 547 | 156 | | |
| 12 | 신범수 | 88 | 15 | | |
| 13 | 오선우 | 28 | 5 | | |
| 14 | 이우성 | 355 | 107 | | |
| 15 | 이창진 | 244 | 66 | | |
| 16 | 최원준 | 239 | 61 | | |
| 17 | 최정용 | 36 | 6 | | |
| 18 | 최형우 | 431 | 130 | | |
| 19 | 한준수 | 86 | 22 | | |
| 20 | 황대인 | 174 | 37 | | |

질문1. 어떻게 순위를 비교하는 것이 합리적인 방법일까요? 방법과 그 이유를 서술하세요.

질문2.자신의 번호에 해당하는 선수에 대해, 순위를 구하기 위한 계산을 하세요.

# 기아타이거즈 타자 분석

질문3. 분수를 소수로 표현하면 어떤 특징이 있나요?

질문4. 1~6까지의 숫자를 모둠원들이 서로 겹치지 않게 선택하여 이 수를 각자 7로 나누어보세요, 그리고 질문3의 답변에 대한 특징이 나타날 수밖에 없는 이유를 설명하세요.

이유 설명

- 타율을 구할 때는 타석이 아닌 타수를 사용합니다. 타석은 타자가 들어선 모든 횟수이고, 이 중 볼넷, 희생타 등의 플레이는 제외한 것이 타수입니다. 타수와 안타의 비율을 타율이라고 합니다.
- 타수와 안타만 봐서는 누가 더 잘 치는 타자인지 알기 어렵습니다. 이럴 때, 소수로 변환할 필요를 느끼게 되겠죠? 소수로 변환한 후 순위를 매겨 보도록 합니다. 모둠에서 협력하여 함께 작성하도록 해도 좋고, 몇 개 시켜본 후 계산기를 제공해도 좋습니다.
- 이중 유한소수는 단 1개 나옵니다. 5~7개 정도는 순환하는 소수라고 생각할 수 있게 결과가 나옵니다. 나머지 숫자들은 계산기로도 순환마디를 파악할 수 없습니다. 김선빈 선수의 경우 순환마디의 길이는 무려 418자리입니다. 숫자를 적당히 수정하여 짧은 순환마디가 나오도록 수정하셔도 좋지만, 저는 개인적으로 이대로 두는 것이 그 나름대로 장점이 있다고 생각합니다. 순환소수가 될지 안 될지 알지 못하는 상황에서 순환소수가 될 수밖에 없음을 질문3과 질문4를 통해서 해결하는 과정이 더 의미있게 학생들에게 다가올 수 있을 것 같기 때문입니다.
- 질문3 : 타율을 구하는 예시는 쉽게 유한소수와 순환소수로 결정됨을 눈으로 확인하긴 어렵습니다. 교사가 의도적으로 이렇게 복잡하게, 아직은 규칙도 없어보이지만, 언젠가는 규칙을 가질 수밖에 없다는 것을 이야기하며 오히려 교사의 말에 의문이 들게 만드는 것이 좋을 거 같습니다. 그러한 상황에서 질문4를 통해 분모의 수가 아무리 커도 언젠가는 반복될 수밖에 없겠다는 사실을 알도록 도와줍니다. 분모를 17이나 19를 이용하면 보다 명확하게 드러날 수 있습니다. 학생들의 수준이나 난이도를 고려하여 진행해보시길 바랍니다.

- 수업 후 좋았던 점, 아쉬운 점, 개선하고 싶은 점 등을 기록해보세요.

### 순환소수

소수점 아래에 0 이 아닌 숫자가 유한 번 나타나는 소수를 **유한소수**라고 한다. 또 소수점 아래에 0 이 아닌 숫자 가 무한 번 나타나는 소수를 **무한소수**라고 한다. 소수점 아래의 어떤 자리에서부터 일정한 숫자의 배열이 한없이 되풀이되는 소수가 있다. 이와 같은 무한소수를 **순환소수**라 한다.

## 순환소수 표현

| | 이름 | 타수 | 안타 | 기록 비교를 위한 자료 처리 | 순환소수로 표현 |
|---|---|---|---|---|---|
| 1 | 고종욱 | 270 | 80 | 0.29629629629629⋯ | |
| 2 | 김규성 | 158 | 37 | 0.234177215189873417 7215189873417721518 987341772151898734⋯ | |
| 3 | 김도영 | 340 | 103 | 0.302941176470588235 2941176470588235294 117647058823529411⋯ | |
| 4 | 김선빈 | 419 | 134 | 0.31980906921241⋯ | |
| 5 | 김태군 | 311 | 80 | 0.25723472668810⋯ | |
| 6 | 김호령 | 95 | 17 | 0.178947368421052631 5789473684210526315 789473684210526315⋯ | |
| 7 | 나성범 | 222 | 81 | 0.36486486486486⋯ | |
| 8 | 박정우 | 9 | 3 | 0.33333333333333⋯ | |
| 9 | 박찬호 | 452 | 136 | 0.30088495575221⋯ | |
| 10 | 변우혁 | 200 | 45 | 0.225 | |
| 11 | 소크라테스 | 547 | 156 | 0.28519195612431⋯ | |
| 12 | 신범수 | 88 | 15 | 0.17045454545454⋯ | |
| 13 | 오선우 | 28 | 5 | 0.17857142857142⋯ | |
| 14 | 이우성 | 355 | 107 | 0.30140845070422⋯ | |
| 15 | 이창진 | 244 | 66 | 0.27049180327868⋯ | |
| 16 | 최원준 | 239 | 61 | 0.25523012552301⋯ | |
| 17 | 최정용 | 36 | 6 | 0.16666666666666⋯ | |
| 18 | 최형우 | 431 | 130 | 0.30162412993039⋯ | |
| 19 | 한준수 | 86 | 22 | 0.25581395348837⋯ | |
| 20 | 황대인 | 174 | 37 | 0.21264367816092⋯ | |

wolframalpha

# 가장 긴 순환마디 찾기

질문1. 울프럼알파를 이용하여 순환마디가 가장 긴 소수를 찾아보세요. 조사에 입력한 모든 분수와 순환마디의 길이를 아래 표에 정리해주세요. 단 분모의 숫자는 10,000 이하로 하고, 짧게 나오거나 유한소수가 나온 경우도 모두 기록하세요.

| 입력한 분수 | 순환마디 길이 | 입력한 분수 | 순환마디 길이 | 입력한 분수 | 순환마디 길이 |
|---|---|---|---|---|---|
|  |  |  |  |  |  |
|  |  |  |  |  |  |
|  |  |  |  |  |  |

질문2. 자신이 발견한 가장 긴 순환마디를 가지는 분수를 대상으로 분자의 값만 서로 다른 값을 넣어 순환마디의 개수를 확인하세요.

| 입력한 분수 | 순환마디 길이 | 입력한 분수 | 순환마디 길이 | 입력한 분수 | 순환마디 길이 |
|---|---|---|---|---|---|
|  |  |  |  |  |  |
|  |  |  |  |  |  |

질문3. $\frac{1}{7}$부터 차례대로 분자를 1씩 키워가며 $\frac{6}{7}$까지의 순환 마디를 살펴보고, 분수를 소수로 표현할 때, 분자와 분모는 어떤 역할을 하는지 서술하세요.

| 입력한 분수 | 순환마디 | 입력한 분수 | 순환마디 | 입력한 분수 | 순환마디 개수 |
|---|---|---|---|---|---|
| $\frac{1}{7}$ |  | $\frac{2}{7}$ |  | $\frac{3}{7}$ |  |
| $\frac{4}{7}$ |  | $\frac{5}{7}$ |  | $\frac{6}{7}$ |  |

분자와 분모의 역할

## 학습지 활용법

- 순환마디의 길이 : 김선빈(418), 김태균(155), 박찬호(112), 소크라테스(91), 이우성(35), 이창진(60), 최형우(215), 한준수(21), 황대인(28)
- 순환소수를 정의해주고 표현 방법도 함께 이야기합니다. 순환마디가 중요하다는 것을 인식시키는 게 중요합니다. 반복되는 최소 단위를 선택해볼 기회를 주면서, 이를 간단하게 표현하는 방법을 안내합니다. 혹은 스스로 창조해보게 하는 시간을 가지는 것도 좋은 방법입니다. 실제로 점이 아닌 $0.\overline{842312}$와 같은 표기법을 사용하기도 합니다.
- 울프람알파(https://www.wolframalpha.com/)를 이용하면 좋습니다. 사실 그 이외의 계산기 중 순환마디의 길이만큼 계산해주는 것을 찾기 어렵습니다. 37/174와 같이 입력하면 Repeating Decimal 항목에 순환마디의 길이를 확인할 수 있고, 실제 소수점 아래의 더 긴 결과가 궁금하다면 More digits를 눌러 확인할 수 있습니다.
- 질문1 : 학생들에게 추가로 울프람알파를 통해 순환소수들을 찾아보게 합니다. 울프람알파는 Exact result값으로 기약분수 값을 자동으로 계산해 줍니다. 적절한 순간에 기약분수 이야기를 꺼냅니다. 가장 긴 것을 찾으려면 이왕이면 기약분수인 상태에서 분모가 큰 값을 찾는 것이 의미 있는 생각이라는 것을 알게 합니다. 혹은 질문 2의 과정에서 기약분수의 이야기를 다뤄도 좋습니다.
- 질문2 : 분모가 순환소수 여부를 판단하는 기준이 됨을 어렴풋하게 생각하게 만들기 위한 활동입니다. 단, 기약분수인 상황이어야 합니다. 울프람알파에서 기약분수를 확인할 수 있으니 확인하면서 활동하도록 유도합니다.
- 질문3 : 분자가 바뀌어도 순환마디의 길이는 변하지 않습니다. 좀 더 탐구해봐야겠지만 정수론에서 순환군의 이론과 닿아 있는 듯합니다. 그래서 분자가 바뀌면 순환마디의 배열순서만 변경되게 됩니다. 이와 관련한 자세한 내용을 아시는 분은 공유 부탁드립니다.
- 본 활동들의 목표는 순환소수를 판별하는 기준은 분모에 있다는 것입니다. 이러한 생각을 바탕으로 다음 유한소수를 확인하며 분모의 특징과 소수 표현 방법에 대해 탐구하게 됩니다.

## 수업 성찰 일지 작성

- 수업 후 좋았던 점, 아쉬운 점, 개선하고 싶은 점 등을 기록해보세요.

# 유한소수로 표현되는 분수

질문1. 분모가 순환소수를 결정하는 데 큰 역할을 함을 배웠습니다. 그렇다면 유한소수로 표현되는 분수들은 어떤 특징이 있을까요? 아래의 칸에 임의로 유한소수들을 다양한 형태로 추가로 적어보고, 분수로 전환해 본 후 그 특징을 추측해보세요. 약분이 가능하면 약분하여 기약분수로 표현하세요.

| 유한소수 | 분수표현 | 유한소수 | 분수표현 | 유한소수 | 분수표현 |
|---|---|---|---|---|---|
| 1.287 | | 0.7802 | | 0.056 | |
| 0.9375 | | | | | |

유한소수로 표현되는 분수들의 특징

질문2. 다음 분수들을 소수로 표현하여 유한소수가 되는지 확인해 보세요.

| 분수 | 소수표현 | 분수 | 소수표현 | 분수 | 소수표현 |
|---|---|---|---|---|---|
| $\dfrac{1}{2}$ | | $\dfrac{1}{5}$ | | $\dfrac{37}{2^4 \times 5}$ | |
| $\dfrac{7921}{2^4 \times 5^4}$ | | $\dfrac{8719}{2^6 \times 5^5}$ | | $\dfrac{1}{2^9 \times 5^{12}}$ | |

분수를 소수로 표현하였을 때, 소수 몇 째자리 소수로 표현되는지 판별하는 방법

- 질문1. 임의의 유한소수를 분수로 표현해보는 활동입니다. 그리고 기약분수로 나타내게 합니다. 1.287은 분모가 1000, 0.7802는 분모가 500, 0.056은 $5^3$, 0.9375는 $2^4$의 형태로 구성되어 있습니다. 다양한 경우가 모두 보이도록 숫자를 미리 제시하였고, 추가로 2개를 학생들이 직접 작성해서 계산해 보도록 합니다. 그리고 분모의 특징을 찾아볼 수 있게 하고, 그 이유에 대해서 적절히 발문하며 충분히 대화를 나눕니다.
- 질문2. 분수를 소수로 표현해보는 활동입니다. 의도적으로 복잡한 지수를 두어 직접 나누어 나타내지 못하도록 하면서 자연스럽게 원리를 파악할 수 있도록 유도하였습니다. 복잡함이 오히려 분모의 소인수가 2와 5뿐이어야 한다는 사실을 명확하게 인식하도록 도울 것입니다. 또한 소수 몇째 자리 숫자인지에 대한 질문도 같은 맥락입니다.

- 수업 후 좋았던 점, 아쉬운 점, 개선하고 싶은 점 등을 기록해보세요.

## 순환소수의 덧셈과 곱셈

질문1. 두 순환소수의 합과 곱을 계산해 보세요.

$$0.\dot{1}4285\dot{7}과 0.\dot{7}1428\dot{5}$$

합

곱

질문2. 순환소수를 연산하는 것이 어려운 이유는 무엇이라고 생각하나요?

# 순환소수를 분수로 변환하기

질문3. $0.\dot{1}4285\dot{7}$과 $0.\dot{7}1428\dot{5}$은 $\frac{1}{7}$과 $\frac{5}{7}$와 같습니다. 이를 이용하여 합과 곱을 구해 보세요.

| 합 | 곱 |
|----|----|
|    |    |

질문4. 모든 순환소수는 분수로 나타낼 수 있을까요? 그렇게 생각한 이유는 무엇인가요?

질문5. 신범수 선수는 88타수 15안타, 즉 분수로 표현하면 $\frac{15}{88}$이고 이를 소수로 나타내면 $0.17\dot{0}4\dot{5}$과 같은 순환소수로 표현됩니다. 이 순환소수를 분수로 고쳐보려고 합니다. 다음 절차를 따라 진행해보세요.

분수로 나타내기에 어떤 문제가 있나요?

_____

$0.17\dot{0}4\dot{5}$를 $x$라고 할 때, $170.\dot{4}\dot{5}$는 어떻게 표현할 수 있나요?

_____

$170.\dot{4}\dot{5}$와 소수점 아래의 숫자 배열이 동일한 숫자를 $x$를 이용하여 표현할 수 있나요?

_____

위 내용을 바탕으로 $0.17\dot{0}4\dot{5}$를 분수로 표현해보세요.

- 질문1 : 순환소수를 분수로 표현하기에 앞서 순환소수로 바꿔야 할 필요에 대해 살펴보는 학습자료입니다. 직접 덧셈과 곱셈을 해보라고 하지만, 실제 하는 것은 불가능합니다. 특히 곱하기의 경우에는 순환소수인 채로 곱하기는 어렵습니다. 실제 순환마디의 길이가 42인 순환소수가 나타납니다.
- 질문2 : 순환소수 연산의 문제는 소수점 아래 숫자가 무한하다는 사실입니다. 이러한 문제의식이 다음에 분수로 변환하는 과정에서 소수점 아래 숫자를 제거해야 할 필요성이 연결될 수 있기를 기대합니다.
- 질문3 : 순환소수를 직접 연산할 때 어려움을 충분히 겪었다면, 분수로 계산할 때의 유용함을 크게 느낄 수 있을 것입니다. 이러한 활동이 순환소수를 분소로 바꾸고 싶은 동기로 이어져야 합니다.
- 질문4 : 타자들의 타율이 복잡해도 현실의 수치를 그대로 사용한 이유 중 하나는 이 질문 때문입니다. 그렇게 긴 순환마디를 가지는 숫자들도 존재하고, 분수로 표현되는 것을 경험한 상황에서, 모든 순환소수가 분수로 나타날 가능성을 보다 크게 생각할 수 있으리라 기대하기 때문입니다.
- 질문5 : 순환소수를 분수로 바꾸는 아이디어는 누군가의 도움 없이 발견하긴 매우 어려운 아이디어라고 생각합니다. 따라서 교사가 적절한 발문으로 아이디어에 도달할 수 있게 만들어 주어야 합니다. 그러기 위해 목표를 설정해 주어야 합니다. 계산을 복잡하게 만든 주범인 소수점 아래의 숫자를 처리하는 것을 목표로 삼습니다. 그리고 적절히 그 과정을 밟아가기 위한 소재가 필요한데, 이때, 적절한 순환소수는 소수 첫째 자리부터 바로 순환마디가 시작되지 않는 것이 좋다고 생각합니다. 조금 복잡해 보일 수 있으나 오히려 자연스러운 부분이 있습니다. 그 복잡함을 해소하기 위해 $170.4\dot{5}$를 표현해보자고 발문을 통해 유도해볼 수 있으며, 이 과정을 교사가 함께 진행하며 $x$로 표현하는 과정에 대해 함께 고민하는 형태로 수업을 이끌 수 있습니다. 그리고 이와 동일한 소수점 아래 숫자 배열을 $x$로 표현해보게 하고, 이를 바탕으로 우리가 원래 목표로 삼았던 소수점 아래 숫자를 제거하는 방법에 대해 고민해보고 실행해보도록 합니다. 숫자가 크고 복잡하지만, 약분하여 결국 $\frac{15}{88}$를 만난다면 학생들은 성취감을 느낄 수 있을 것입니다.

- 수업 후 좋았던 점, 아쉬운 점, 개선하고 싶은 점 등을 기록해보세요.

# 2 / 일차식의 세계

CHAPTER

2

# 일차함수를 도구로 삼아 배우자.

일차식과 관련한 다양한 수학적 도구를 배우게 됩니다. 이때 일차함수를 활용하는 것은 매우 유용하고, 반드시 필요합니다. 현 교육과정에서 학생들은 일차부등식을 일차방정식의 문제처럼 해결합니다. 물론, 선생님들도 비슷한 방식으로 해결하고, 그러한 풀이가 빠르고 편리한 부분이 있지만, 처음 부등식을 배우는 학생들에게 적합한 방법이 아닙니다. 부등식의 의미를 잘 살피려면 좌표평면에 나타내 보는 것은 매우 효과적인 방법입니다. 함숫값을 살피며 부등식의 해에 해당하는 영역을 선택해보는 것이 필요합니다. 연립방정식도 마찬가지입니다. 일차함수로 해의 존재를 살펴보는 것은 연립방정식의 개념 형성에 도움이 될 뿐만 아니라 연립방정식의 풀이를 탐구하기 위한 동기로 작용할 수 있습니다.

# 1 수업목표

일차식에 대한 통합적 이해와 일차식과 관련된 다양한 개념 사이의 복잡하고 강력한 연결고리를 학생들에게 만들어 주는 것

# 2 경험 구성의 원리

• 일차식과 관련된 다양한 개념들을 다양한 방식으로 연결 지을 수 있도록 경험을 구성한다.

# 3 성취기준 재해석을 통한 학생 경험 구성

**[9수03-04]**함수의 개념을 이해한다.
**[9수03-05]**일차함수의 의미를 이해하고, 그 그래프를 그릴 수 있다.
**[9수03-06]**일차함수의 그래프의 성질을 이해하고, 이를 활용하여 문제를 해결할 수 있다.
**[성취기준재해석]** 교과서는 주로 관계식을 중심으로 주어진 관계식을 대응표를 거쳐 좌표평면에 그래프로 표현하는 행위에 초점이 맞춰져 있습니다. 하지만 함수 개념은 수평적 수학화의 과정이 특히 중요한 부분이며, 상황, 식, 대응표, 그래프 등 다양한 요소 간의 복잡한 연결을 구조화하는 것이 매우 중요합니다. 따라서 단순히 그래프를 그리는 행위보다, 각 요소의 변화가 다른 요소에는 어떤 영향을 미치는지 확인해 보는 경험들이 필요합니다.

> **수업에서 필요한 학생 경험**
> • 기울기의 개념을 발견하는 경험이 필요합니다. 교과서는 기울기 값이 주어지고 시작하는데, 기울기가 직접 드러나지 않은 상태에서 발견하고 그 의미를 파악하는 경험이 필요합니다.
> • 최대한 많은 요소(상황, 식, 표, 그래프 등)들 간의 직접적인 변환 과정을 경험하게 할 필요가 있습니다.
> • 특정 요소의 변화가 다른 요소에 어떤 영향을 미치는지 확인하는 경험이 필요합니다.

**[9수02-09]**부등식과 그 해의 의미를 알고, 부등식의 성질을 이해한다.
**[9수02-10]**일차부등식을 풀 수 있고, 이를 활용하여 문제를 해결할 수 있다.
**[성취기준재해석]** 부등식의 해의 의미를 파악하는 것은 좌표평면에 표현할 때, 더욱 명확해집니다. 좌표평면에 표현하고 해석하는 과정에서 자연스럽게 부등식의 해의 의미를 확인할 수 있게 될 것입니다. 따라서 문제의 풀이와 정답을 찾는 활동에 집중하기보다, 상황을 일차함수를 토대로 해석하는 경험들이 필요할 것입니다.

> **수업에서 필요한 학생 경험**
> • 좌표평면에 그래프를 그리는 활동을 통해 부등식의 의미를 해석해보는 경험

[9수02-11]미지수가 2개인 연립일차방정식을 풀 수 있고, 이를 활용하여 문제를 해결할 수 있다.
[9수03-07]일차함수와 미지수가 2개인 일차방정식의 관계를 이해한다.
[9수03-08]두 일차함수의 그래프와 연립일차방정식의 관계를 이해한다.
[성취기준재해석] 일차함수, 일차부등식을 거쳐 연립일차방정식으로 진행되는 흐름에서 학생들은 연립일차방정식에 대한 상당히 중요하고 많은 정보를 획득한 상태로 볼 수 있습니다. 두 변수 $x$와 $y$ 사이의 관계가 달라짐을 이해하는 것이 필요하고, 쉽게 두 그래프의 교점을 찾는 방법에 대해 탐구하는 과정이 필요합니다.

**수업에서 필요한 학생 경험**

- 그래프의 결과가 일차함수와 동일하더라도, $x$와 $y$사이의 관계에 차이가 있음을 경험하는 것이 필요합니다.
- 함수의 형태($y=ax+b$의 꼴)로 변환하여 $y$를 소거하는 방법의 번거로움을 인식하고 동일한 결과를 얻는 새로운 방법을 찾아보는 경험이 필요합니다.(이미 일차부등식에서 함수 형태로 교점을 찾는 경험을 진행함.)

# 4 수업의 흐름

## 1. 일차함수의 의미 파악 및 다양한 형태로 표현
일차함수의 의미를 파악하는데 핵심을 기울기를 바르게 이해하는 것이 핵심이라고 생각합니다. 이때 중요한 경험은 기울기의 값을 찾는 과정에서 가능하다고 생각했습니다. 즉, 기울기 값이 명확히 제공되지 않는 상황을 구성하고, 상황을 이해하고 다양한 형태로 표현하는 과정을 통해 기울기를 발견하게 만들고자 합니다.

## 2. 절편
앞의 수조의 물 채우는 활동의 반대로 물을 빼는 활동을 통해 음의 기울기를 가지는 일차함수를 탐구하는 동시에 절편의 개념에 대해 학습하게 됩니다.

## 3. 개념 간 연결 강화
주어진 상황을 다양한 방법으로 표현해보면서 함수와 관련된 다양한 개념들간의 연결을 강화합니다. 특정 조건들(기울기,절편)을 변경하면서 변경된 내용이 미치는 영향들을 고려하는 활동 및 자료를 토대로 상황을 추측하는 활동 등을 진행합니다.

## 4. 일차함수를 부등식으로 해석
부등식을 함수의 연장선으로 다룹니다. 함수의 과제인 것처럼 다루다 해석하는 과정에서 부등식과 관련지으며 자연스럽게 도입합니다. 그 과정에서 부등식의 성질을 자연스럽게 체득하게 될 것입니다.

## 5. 연립방정식
좌표평면에 해를 표현하는 과정에서 연립방정식의 의미를 해석하도록 합니다.

# 수조에 물 채우기

다음과 같은 3개의 수조에 물을 채워보았습니다.

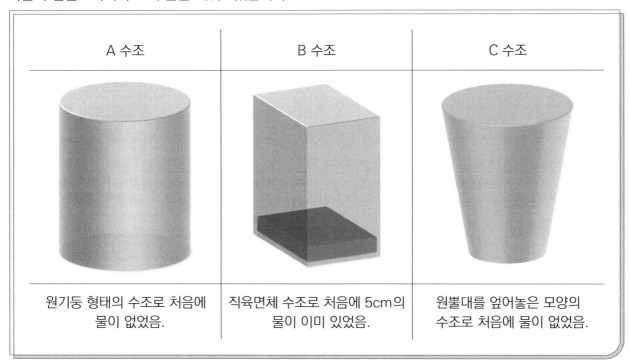

| A 수조 | B 수조 | C 수조 |
|---|---|---|
| 원기둥 형태의 수조로 처음에 물이 없었음. | 직육면체 수조로 처음에 5cm의 물이 이미 있었음. | 원뿔대를 엎어놓은 모양의 수조로 처음에 물이 없었음. |

질문1. 10초간 채운 후 물의 높이를 측정하였더니 다음과 같습니다. 빈칸을 적절하게 채우고 그렇게 채운 이유를 적어보세요.

| | 0초 | 1초 | 2초 | 3초 | 4초 | 5초 | 6초 | 7초 | 8초 | 9초 | 10초 |
|---|---|---|---|---|---|---|---|---|---|---|---|
| A수조 | 0 | | | | | | | | | | 20 |
| B수조 | 5 | | | | | | | | | | 20 |
| C수조 | 0 | | | | | | | | | | 21 |

이유

## 좌표평면에 표현하기

질문2. 질문1의 표를 아래의 좌표평면에 나타내어 보아라.

질문3. 만약 5초 동안 추가로 물을 더 채운다면 각 수조의 높이는 어떻게 될까요? 그렇게 생각한 이유는 무엇인가요?

| A수조 | B수조 | C수조 | 이유 |
|---|---|---|---|
|  |  |  |  |

## 시간과 물 높이의 관계

질문4.(2.5초, 0.1초, 7.3초, $\frac{13}{3}$초) 일 때, A수조와 B수조의 높이는 얼마였을까요? 어떻게 구했나요?
모둠원끼리 서로 다른 시간을 선택하고 각각 구해 보고, 구한 방법을 서로 설명해 보세요.

| A수조 | B수조 | 구한 방법 |
|---|---|---|
|  |  |  |

질문5. 시간($x$)에 따른 A수조와 B수조의 높이($y$)의 관계식을 각각 구해 보세요. 그리고 그 관계식이 그래프 및 표와 어떤 관계가 있는지 설명해 보세요.

| A수조 | B수조 | 관계식과 그래프의 관계 | 관계식과 대응표의 관계 |
|---|---|---|---|
|  |  |  |  |

### 함수

두 변수 $x$, $y$에 대하여 $x$의 값이 변함에 따라 $y$의 값이 **오직 하나씩 정해지는 대응 관계**가 있을 때, $y$를 $x$의 **함수(function)**라고 합니다. 앞서 해결한 수조 문제와 같이 $y$가 $x$에 대한 일차식 $y = ax + b$($a, b$는 수, $a \neq 0$)로 나타날 때, 이 함수를 $x$에 대한 **일차함수**라고 말합니다.

시간에 따른 수조의 높이를 구하려는 상황과 같이, 함수는 $x$의 값에 따른 $y$값을 구하려는 경우가 많습니다. 그래서 $x$의 값에 $y$가 오직 하나만 정해지는 관계로 한정하여 함수를 정의합니다. 그리고 그러한 관계를 잘 드러내고, 대입의 표현을 간단히 하고자 함수를 $y = f(x)$로 표현합니다.

예를 들어, 다음 두 상황을 비교해 보세요.

    1) $y = 2x - 4$에서 $x$가 2일 때 $y$값과, $x$가 -2일 때 $y$값을 구하세요.

    2) $y = f(x) = 2x - 4$일 때, $f(2), f(-2)$

와 같이 동일한 내용을 보다 간결하고, $x$에 어떤 값이 대입되었는지 보다 명확하게 보여줄 수 있습니다.

위의 예에서 $f(-2) = -8$과 같이 나타낼 수 있고, $f(-2)$를 $x = -2$일 때의 **함숫값**이라고 합니다.

### 수조에 물 채우기

- 제가 원하는 조건을 가지는 일차함수 도입을 위한 적절한 소재를 찾는 일은 다소 어려운 일이었습니다. 먼저 연속적인 자료를 원했습니다. 비연속적 자료는 사실 가우스 함수의 그래프 형태로 나타나기 때문에 일차함수의 그래프를 그리기에는 적절하지 못한 부분이 있다고 판단했기 때문입니다. 두 번째 조건은 기울기 값을 주지 않고 상황을 제시할 수 있어야 한다는 것이었습니다. 예를 들어, 통신비가 1초당 3원이라는 이야기는 기울기의 값 3을 자연스럽게 제시해주게 됩니다. 하지만 이 값을 구하는 과정도 일차함수 학습에 중요한 요소라 생각하였고, 이 두 가지를 만족하는 사례를 찾기 위해 고민했습니다. 그러다 '수학의 발견' 교재의 컵에 물 따르는 과제가 원하던 조건과 일치했고, 이를 바탕으로 수정하여 과제를 개발하였습니다.
- 세 개의 수조를 줍니다. 각각 원기둥, 사각기둥, 원뿔대로, 두 개의 수조는 일정하게 증가하지만, 그 증가량이 다른 경우와 일정하게 증가하지 않는 하나의 수조를 살피면서, 일정함을 대비를 통해 보다 분명하게 드러내려고 했습니다.
- 질문1 : 원뿔대는 이차함수를 따르므로 정확한 수치를 구할 필요는 없습니다. 완벽하게 맞추지 못하더라도 A, B수조와의 차이를 인식시키면 충분해 보입니다. 이 문제의 핵심은 '일정하게 증가'하는 것이 어떤 의미인지, 표에서 어떻게 드러나는지, 상황과 표를 어떻게 연결 짓는지 등입니다.

### 좌표평면에 표현하기

- 직접 점을 찍어보게 한 후, 사이를 어떻게 메꾸는 것이 좋을지에 대해서도 이야기 합니다. '일정함'과 '직선'이 연결될 수 있도록 적절히 발문하며 수업을 진행해야 합니다. 그 과정의 연장으로 질문3을 통해 5초 후의 물 높이에 대해서도 이야기해 볼 수 있습니다. 일정하게 증가하는 A, B수조와 갈수록 증가 폭이 작아지는 C수조와의 대비를 통해 일정함을 좌표평면에 표현하면 직선이 된다는 것을 연결 지을 수 있도록 합니다. 그리고 이 과정에서 아마 추후 사용될 $a$값 즉, 1초 동안 일정하게 증가하는 물의 높이를 계산했을 것이고, 이는 다음 질문과 이어집니다.

### 시간과 물높이의 관계

- 학생들에게 서로 다른 시간에 대해 수조의 물 높이를 구해 보는 과제를 제시합니다. 학생들은 소수가 있는 경우 0.1초의 증가량을 기준으로 높이를 계산할 가능성이 큽니다. 그러다 분수 형태에서 해결되지 않음을 느끼며, 자연스럽게 기울기의 개념과 이 값을 곱하면 높이를 구할 수 있다는 생각, 그리고 그 생각이 이어져 A와 B수조의 높이와 시간과의 관계식을 구하는 과정으로 이어질 수 있도록 진행합니다. 질문5를 통해 실제 식으로 표현해보고, 만들어진 일차함수식이 그래프와 대응표에서 각각 어떤 관련성이 있는지 찾아보게 합니다. 즉, $a$와 $b$의 값이 그래프와 대응표에서 어떤 역할을 하는지 서술해보게 하며 서로 연결지어주는 작업입니다.
- 이러한 활동을 바탕으로 함수를 정의합니다. 함수의 정의는 스스로 구성하기에 적합하지 않다고 생각합니다. 다양한 관계(relation) 중 하나를 선택한 것이기 때문이죠. 따라서 이렇게 정의한 이유를 수조의 상황과 연결지어 설명하고, 기호에 대해서도 함께 설명합니다.

- 수업 후 좋았던 점, 아쉬운 점, 개선하고 싶은 점 등을 기록해보세요.

# 수조의 물빼기

질문1. A수조와 B수조의 물을 빼려고 합니다. 일정한 양의 물이 바닥의 배수구를 통해 빠져나간다고 할 때, 시간에 따른 높이의 관계를 나타내는 대응표와 좌표평면의 그래프를 완성하세요.

| A수조 | | | | | B수조 | | | | | |
|---|---|---|---|---|---|---|---|---|---|---|
| 원기둥 형태의 수조로 10cm 물이 있었는데 10초 만에 모두 물이 빠짐. | | | | | 원기둥 형태의 수조로 처음에 15cm의 물이 있었는데. 10초 만에 모두 물이 빠짐 | | | | | |
| 0초 | 1초 | 2초 | 3초 | 4초 | 5초 | 6초 | 7초 | 8초 | 9초 | 10초 |
| A수조 10 | | | | | | | | | | 0 |
| B수조 15 | | | | | | | 0 | 0 | 0 | 0 |

질문2. 각 수조의 시간($x$)과 물의 높이($y$)사이의 관계식을 구하고 관계식, 그래프, 대응표의 관계를 설명하세요.

A수조


B수조


## 절편

좌표평면 위에서 함수의 그래프가 $x$축과 만나는 점의 $x$좌표를 그 그래프의 $x$**절편**이라 하고, $y$축과 만나는 점의 $y$좌표를 그 그래프의 $y$**절편**이라고 한다.

- 수조에 물을 빼는 상황입니다. 이 상황은 기울기가 음수인 경우를 뜻하는 동시에 $x$절편과 $y$절편을 설명하기에 적합한 과제입니다. 일정하게 물이 빠지는 두 수조의 높이를 대응표, 좌표평면, 함수식으로 각각 표현합니다. 그리고 서로 어떤 관계를 가졌는지 서술하게 합니다.
- 절편을 정의합니다. 그리고 일차함수는 절편만 알아도 그릴 수 있겠다고 생각해야 합니다. 단순히 '일차함수=직선이야'를 외운 것이 아니라, 일정하게 변화하기 때문에 두 점을 이어야 한다는 개념을 형성하고 있어야 합니다. "직선이니까요"라는 학생의 대답에 한 번 더 '왜?'를 물어보며 수업을 진행해보면 좋겠습니다.

- 수업 후 좋았던 점, 아쉬운 점, 개선하고 싶은 점 등을 기록해보세요.

## 주어진 상황을 다양한 방법으로 표현하기

질문1. 선생님이 제시한 원기둥 모양의 A수조에서 발생한 상황을 보고 대응표, 그래프, 식, 절편을 하나씩 구해 봅니다. 구할 때, 다른 요소를 사용하지 않고 오직 상황을 통해 본인이 구해야 하는 문제의 답을 작성해야 합니다. **하나의 문제에 한 칸만 작성**하며, **작성하는 칸은 모둠원들과 모두 달라야** 합니다. 총 4문제가 제공됩니다.

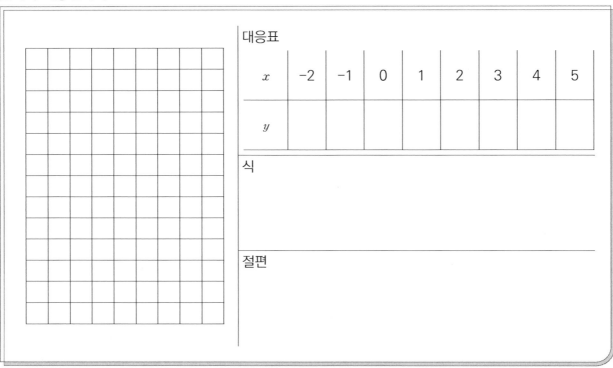

| $x$ | -2 | -1 | 0 | 1 | 2 | 3 | 4 | 5 |
|---|---|---|---|---|---|---|---|---|
| $y$ | | | | | | | | |

대응표

식

절편

질문2. 상황을 보고 주어진 과제를 해결하기 위해 어떻게 했는지 그 과정을 서술하세요.

대응표 작성 과정

그래프 그리는 과정

식을 구하는 과정

절편을 구하는 과정

- 아래와 같은 4개의 문제를 차례대로 하나씩 PPT를 통해 제시합니다. 이때, 학생들은 모둠에서 순서를 정하고 주어진 문제마다 좌표평면, 대응표, 식, 절편 중 하나의 칸에만 답안을 작성합니다. 이때 최대한 다른 영역을 거치지 않고 상황만을 통해 문제의 답을 추론해 내도록 요구합니다. 예를 들어, 절편을 구할 때, 식을 통해 구하지 않고, '이렇게 줄어들면 언제 0에 달을거야'와 같이 생각하도록 유도하는 것이죠. 상황과 주어진 과제를 직접 연결지어, 함수의 여러 구성요소들 간의 다양한 연결고리를 갖도록 도와주시기를 바랍니다.
- 그리고 그래프는 음수까지 확장한다는 것을 가정합니다. 상황이 물이라 음수는 현실적으로 불가능하지만, 양수에서의 규칙을 그대로 음수로 확장한다고 가정하고 진행하도록 하겠습니다.

예시 문항

1. 처음 5cm가 들어있는 수조에 5초간 물을 넣었더니, 수조의 높이가 15cm가 되었습니다.
2. 처음 10cm가 들어있는 수조에서 물이 전부 빠지는데, 정확히 5초가 걸렸습니다.
3. 3초 후부터 물을 붓기 시작했습니다. 2초에 5cm씩 올라가는 것을 확인했습니다.
4. 2초에 물의 높이는 4cm였고, 5초에 물의 높이는 2cm였습니다.

- 수업 후 좋았던 점, 아쉬운 점, 개선하고 싶은 점 등을 기록해보세요.

## 조건이 바뀌면 어떻게 변할까?

질문1. 원기둥 모양의 A수조는 처음에 물이 없었지만 10초 후에 물의 높이가 20cm가 되었습니다. 만약 처음에 물이 3cm 있었다면 대응표, 식, 그래프는 각각 어떻게 변할까요?

대응표는 어떻게 변할까요?


식은 어떻게 변할까요?


그래프는 어떻게 변할까요?


### 평행이동

한 도형을 일정한 방향으로 일정한 거리만큼 옮기는 것을 **평행이동**이라고 합니다. 여기서 방향은 보통 축의 이름을 따라 상하로 움직이는 경우 $y$축 방향으로 이동했다고 표현합니다.

## 조건이 바뀌면 어떻게 변할까?

질문1. 만약 더 많은 양의 물이 일정하게 나오게 된다면 대응표, 식, 그래프는 각각 어떻게 변할까요?

대응표는 어떻게 변할까요?


식은 어떻게 변할까요?


그래프는 어떻게 변할까요?


### 기울기

수조에 **일정하게 나오는 물**로 인해 $x$의 값의 증가량에 대한 $y$의 값의 증가량의 비율은 항상 일정합니다. 마찬가지로 일차함수 $y = ax + b$에서 $x$의 값의 증가량에 대한 $y$의 값의 증가량의 비율은 항상 일정하고, 그 비율은 $x$의 계수 $a$와 같게 됩니다. 이 증가량의 비율 $a$를 일차함수 $y = ax + b$의 그래프의 **기울기**라고 합니다.

- 조건을 바꿔가며 $y = ax + b$의 $a$와 $b$의 값의 의미를 파악하도록 설계한 학습자료입니다.
- 질문1 : 처음 물의 높이가 달라질 때, 대응표, 식, 그래프가 어떻게 변할 거 같은지 서술해보는 과제입니다. 직접 구해보게 하는 것보다 생각해보고 서술하는 것이 더욱 $b$값의 의미와 평행이동의 의미에 대해 자연스럽게 생각할 수 있게 될 것 같아 단순히 서술하기만을 요구하였습니다.
- 질문2 : 일정한 물의 양을 변화시킬 때, 학생들의 생각을 묻습니다. 즉, 기울기가 어떤 영향을 미치는지에 대한 생각으로 이어질 것입니다. 수조를 생각해보게 하며, 학생들의 의견들을 적극적으로 경청하며 수조의 상황을 예로 들어가며 수업을 운영할 수 있습니다.

## 수업 성찰 일지 작성

- 수업 후 좋았던 점, 아쉬운 점, 개선하고 싶은 점 등을 기록해보세요.

# 어떤 상황일까?

질문1. 물이 일정한 속도로 채워지거나 빠지는 원기둥의 수조와 관련된 서로 다른 상황을 각각 표현한 대응표, 식, 그래프입니다. 각 내용을 확인하고 어떤 상황일지 상황을 서술하고 일차함수의 식을 구하세요.

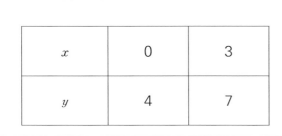

| $x$ | 0 | 3 |
|---|---|---|
| $y$ | 4 | 7 |

상황 설명

일차함수 식

$$y = -3x + 10$$

상황 설명

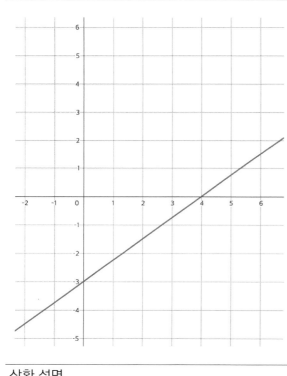

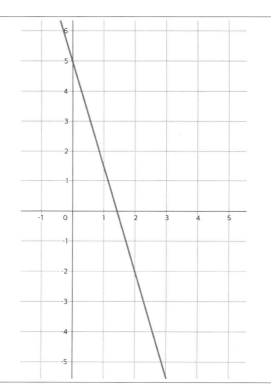

상황 설명

그래프의 일차함수 식

상황 설명

그래프의 일차함수 식

- 함수를 잘 이해한다는 것은 각 개념 간의 연결의 복잡성과 강함에 달려있다고 생각합니다. 주로 교과서는 수평적수화화의 내용에만 치중되어 있어, 이를 보완하는 개념으로 각 요소들을 수조 상황에 빗대어 표현해보게 하는 과정을 과제로 담았습니다.

## 수업 성찰 일지 작성

- 수업 후 좋았던 점, 아쉬운 점, 개선하고 싶은 점 등을 기록해보세요.

## 붕어빵의 적정 가격은?

질문1. 붕어빵 장사를 하기로 결심한 지우는 시장조사를 진행해보았습니다. 소비자와 판매자에게 설문조사를 실시하여 다음과 같은 표를 작성하였습니다. 하지만 모든 가격을 조사하는 것은 어려워 조사하지 못한 가격에 대한 수요와 공급의 수는 각각 일정한 비율로 변화한다고 가정하기로 했습니다. 즉, 가격이 비싸지면 사고 싶은 사람의 수가 일정하게 감소하고, 반대로 붕어빵 사장님은 더 많이 만들고 싶어 합니다. 다음 빈칸을 채워보세요.

| 붕어빵 1개 가격 | 100 | 200 | 300 | 400 | 500 | 600 | 700 | 800 | 900 |
|---|---|---|---|---|---|---|---|---|---|
| 소비자 예상 수요 | 900 | | | | 500 | | | | 100 |
| 판매자 예상 공급 | 400 | | | | 600 | | | | 800 |

질문2. 붕어빵 가격에 따른 수요와 공급의 그래프를 각각 아래의 좌표평면에 나타내 보세요.

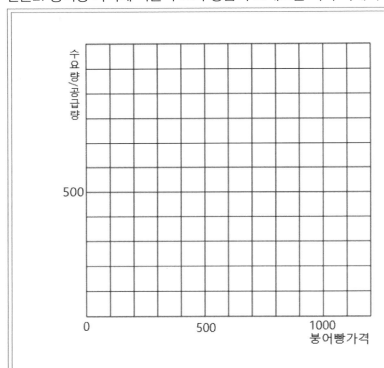

질문3. 수요가 공급보다 많을 때는 언제인가요? 그러한 상황에서는 어떤 변화가 일어날까요?

질문4. 공급이 수요보다 많을 때는 언제인가요? 그러한 상황에서는 어떤 변화가 일어날까요?

질문5. 두 일치함수의 그래프의 관계식을 구해 보세요.

| 붕어빵 가격($x$)과 수요량($y$) 관계 | 붕어빵 가격($x$)과 공급량($y$) 관계 |
|---|---|
| | |

## 붕어빵의 적정 가격은?

질문5. 질문3과 질문4에 해당하는 $x$값의 범위를 찾아 부등호를 이용하여 각각 나타내 보세요.

계산과정

| 수요가 공급보다 많을 때 | 공급이 수요보다 많을 때 | 적정 가격 |
|---|---|---|
|  |  |  |

## 부등식을 등식처럼 풀어도 될까?

질문6. 다음을 부등식으로 표현하고, 부등식을 사용하면서 $x$의 범위를 찾아가 보세요. 그리고 질문5에서 나온 답과 동일한지 확인한 후, 동일하지 않은 경우에 대해 원인을 파악하고, 해결책을 제시하세요.

| 수요가 공급보다 많을 때 | 공급이 수요보다 많을 때 |
|---|---|
| 부등식을 사용한 풀이 | 부등식을 사용한 풀이 |
| 동일하지 않은 경우, 어느 부분에서 잘못되었고 그 이유는 무엇인가요? | 해결책 제시 |

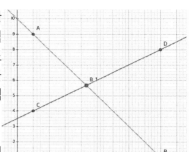

- 수요와 공급을 단순화하여 제시한 자료입니다. 수요가 공급보다 크거나 작은 상황에 대한 맥락에 대해 이야기 하며 해당 구간을 탐색해 볼 수 있도록 만듭니다. 각 범위는 교점을 찾을 수 있다면 눈으로 쉽게 확인할 수 있게 됩니다. 하지만 교점이 표에 나타나지 않으며 분수로 표현되는 지점입니다. 복잡해 보일 수 있으나 직접 식을 풀면서 해결해야 하는 형태로 문항을 제시해야 부등식의 해를 찾는 과정에서 교점을 찾는 의미를 보다 명확하게 이해할 수 있게 됩니다.

**부등식을 등식처럼 풀어도 될까?**

- 앞에서 부등식의 해를 구할 때는 먼저 교점을 찾은 후에 그래프를 해석하며 부등식을 작성하게 됩니다. 이러한 해석 과정은 매우 중요하지만, 매번 그래프를 그리지 못하는 상황에서 자칫 오류를 발생할 위험이 있습니다. 학생들은 앞의 풀이 과정에서 사용한 등호 대신 부등호를 사용하여 문제를 다시 해결하게 하고, 부등호의 방향이 최종 결과에서 달라지는 경우를 마주하게 만들어, 어디서 부등호가 잘못되었는지 토의하게 합니다.

- 수업 후 좋았던 점, 아쉬운 점, 개선하고 싶은 점 등을 기록해보세요.

## 부등식의 성질

질문1. 다음 풀이의 각 과정에 대해 생략된 부등호를 적고, 각 과정에 대해 자세히 설명하세요. 자신이 부등호의 방향을 결정한 이유에 대한 설명을 꼭 적어주세요.

$$-x + 1000 \geq 0.5x + 350$$

소수를 없애 계산을 편하게 하기 위해 부등식의 양변에 10을 곱하였습니다. 10을 동일하게 곱하더라도 부등호의 방향은 _____.

그 이유는 _____

_____

_____ 이기 때문입니다.

$$-10x + 10000 \;\boxed{\phantom{0}}\; 5x + 3500$$

$$-10x + \cancel{10000} \cancel{-10000} \;\boxed{\phantom{0}}\; 5x + \underset{-6500}{\cancel{3500}\cancel{-10000}}$$

$$\underset{-15x}{-10x\cancel{-5x}} \;\boxed{\phantom{0}}\; 5x\cancel{-5x} - 6500$$

$$-15x \div (-15) \;\boxed{\phantom{0}}\; -6500 \div (-15)$$

$$x \;\boxed{\phantom{0}}\; \frac{1300}{3}$$

- 부등호의 방향이 음수를 나누는 경우에 바뀔 것이라고 잠정적인 결론을 내린 상태입니다. 이제 부등식을 푸는 전 과정을 나열하고, 각 과정에서 진행된 연산이 부등식에 어떤 영향을 미칠 것 같은지 서술해보게 함으로써 스스로 부등식의 성질을 떠올려보도록 합니다. 예를 들어 첫 번째 과정의 예상 답안은 다음과 같습니다. "부등호의 방향은 바뀌지 않습니다. 그 이유는 똑같이 10을 곱하면 원래 큰 수에 10을 곱한 수가 더 크기 때문입니다."

## 수업 성찰 일지 작성

- 수업 후 좋았던 점, 아쉬운 점, 개선하고 싶은 점 등을 기록해보세요.

## 합리적으로 과일 구매하기

질문1. 과일가게에서 사과 10개와 배 8개를 함께 포장하여 30천원(3만원)에 판매하고, 사과 6개와 배 12개를 함께 포장하여 32천원에 판매하고 있습니다. 이때 사과 18개를 27천원에 구입하는 것과 배 18개를 36천원에 구입하는 것 중 어떤 것이 더 합리적인지 생각해보고 그 이유를 설명하세요.

질문2. 사과 한 개의 가격을 $x$원, 배 한 개의 가격을 $y$원이라고 할 때, 포장된 두 상자의 가격을 식으로 표현해보세요.

질문3. 두 식을 좌표평면에 그림으로 표현하고, 사과와 배의 가격에 해당하는 위치를 찾고, 그 이유를 설명하세요.

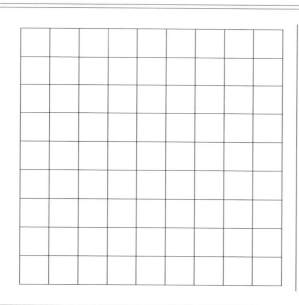

무엇이 사과와 배의 가격을 의미할까요? 그렇게 생각한 이유는 무엇인가요?

질문4. $x$와 $y$값을 구해 보고, 질문1에 대해 다시 답해보세요.

## 미지수가 2개인 연립일차방정식

함수는 $x$값에 따른 $y$값을 파악하기 위한 도구였다면, 방정식은 미지수에 따라 언제 등식이 참이 되는지에 대해 탐구하는 도구입니다. 이때, 사과와 배의 가격처럼 하나의 등식에 2개의 미지수가 사용되며, 미지수의 차수가 모두 1인 경우 **미지수가 2개인 일차방정식**이라고 하며, $ax+by+c=0 \ (a, b, c$는 수, $a \neq 0, b \neq 0)$의 꼴로 표현됩니다. 위에서 각각 좌표평면에 표현해본 바와 같이 일반적으로 수없이 많은 해를 가지게 되며, 좌표평면 위의 점을 표현하는 방식처럼 순서쌍을 이용하여 여러 해 중 하나를 (3,0)과 같이 하나의 해를 표현할 수 있습니다. 두 종류의 과일 포장 상자 예시처럼 **두 가지 조건을 모두 만족하는 방정식의 해를 찾기 위해 두 방정식을 쌍으로 묶어 나타낸 것을 미지수가 2개인 연립일차방정식 또는 간단히 연립방정식**이라고 부릅니다.

# 연립방정식의 풀이

질문5. 질문2에서 작성한 식을 약분하여 아래에 연립방정식으로 표현하였습니다. 질문4를 통해 사과와 배의 가격을 구할 때, 결과적으로 $y$가 사라져 $x$에 관한 일차방정식의 문제로 바뀌었습니다. 보다 쉽게 하나의 문자에 대한 일차방정식으로 바꿀 수 있는 방법은 없을까요?

| 생각한 방법 | 새로운 방법으로 풀이 |
|---|---|
| $\begin{cases} 5x+4y=15 \\ 2x+4y=11 \end{cases}$ | |

질문6. 서로 다른 두 연립방정식의 해가 존재하지 않는 경우도 있을까요? 그림을 그려 설명해 보세요. 해가 존재하는 경우에는 오직 하나만 존재한다고 확신할 수 있나요? 그 이유를 설명해 보세요.

| 해가 존재하지 않는 경우 | 존재한다면 하나만 존재하는 이유 |
|---|---|
| | |

- 붕어빵 이익의 최댓값을 생각해보게 하면서 이차함수로 연결짓습니다. 직접 많은 점을 대입해보게 합니다. 계산기를 적극적으로 활용하도록 하여, 계산상의 오류를 줄이고, 대신 어떤 점을 더 추가해야 할지를 생각해보면서 점을 추가하는 것이 좋습니다. 특히 꼭짓점 부근의 값이 자연스럽게 궁금해지도록 유도하며, 꼭짓점 부분의 점에 더 많은 점이 찍힐 수 있도록 하여, 그래프의 모양을 보다 잘 이해할 수 있도록 돕습니다.
- 이차함수의 최댓값은 교육과정상 중요하게 다루지는 않습니다. 하지만 이차함수를 도입하기에 최댓값이나 최솟값을 사용하는 것만큼 자연스러운 것이 없다고 생각하였고, 앞선 과제들과의 연계를 위해 수익의 최댓값을 고려해보도록 구성하였습니다.

- 수업 후 좋았던 점, 아쉬운 점, 개선하고 싶은 점 등을 기록해보세요.

# 3 / 도형

CHAPTER

# 3

# 증명은 필요한 순간에 가장 잘 배운다.

증명이 어려운 이유는 증명할 필요를 느끼지 못하기 때문입니다. 나의 주장을 위해 필요한 순간 증명을 요구받는 것이 증명 지도에 가장 중요한 부분입니다. 따라서 탐구의 과정을 앞에 배치하고, 탐구하는 과정 중에 입증해야 할 다양한 성질들을 탐구 과정 중에 정당화하도록 수업을 구성할 것입니다.

기존 삼각형 단원에서는 내심과 외심이 주요 주제입니다. 이를 증명하는 과정에서 필요한 다양한 성질들이 앞에 제시된 구조입니다. 그리고 닮음에서는 삼각형이 닮음을 탐구하는 주요 소재이고, 탐구 후에 무게중심과도 연결짓습니다. 따라서 삼각형의 중심을 하나의 단원으로 선정하는 것은 어떨까? 하는 아이디어를 실현하기 위해 도형의 닮음을 먼저 수업하며 삼각형의 중심을 하나의 주제로 묶었습니다.

그리고 사각형의 성질을 마지막 중단원으로 선정하였으나, 현재 자료는 수록되어 있지 않습니다.

# 1 수업목표

도형의 여러 정의(닮음, 무게중심, 내심, 외심 등)들이 그렇게 정의될 수밖에 없음을 인식하게 만들고, 성질을 발견하는 과정에서 필요한 정당화의 과정을 진행하여, 자신의 주장에 논리적 근거를 드는 과정에서 증명이 자연스럽게 학습되도록 하는 것을 목표로 합니다.

# 2 경험 구성의 원리

개념이 주어지는 것이 아닌 정의를 교과서처럼 할 수밖에 없겠다는 생각이 들게 만드는 경험을 제공해야 합니다. 그리고 모든 증명은 증명의 필요가 느껴지는 상황을 경험하는 것으로부터 시작되어야 합니다.

# 3 성취기준 재해석을 통한 학생 경험 구성

[9수04-13]도형의 닮음의 의미와 닮은 도형의 성질을 이해한다.
[9수04-14]삼각형의 닮음 조건을 이해하고, 이를 이용하여 두 삼각형이 닮음인지 판별할 수 있다.
[9수04-15]평행선 사이의 선분의 길이의 비를 구할 수 있다.
[9수04-16]피타고라스 정리를 이해하고 설명할 수 있다.
[성취기준재해석] 닮음은 일상적인 용어로 많이 사용되는데, 수학에서의 닮음보다 훨씬 넓은 범위에 통용됩니다. 이때, 이를 억지로 구분 짓게 하는 것 보다, 닮음을 활용해야 하는 문제를 푸는 경험을 통해, 닮음을 스스로 정의하는 것이 효과적으로 닮음을 이해하는 방법입니다. 삼각형의 닮음 역시 닮음 삼각형을 구성하는 경험 속에서 닮음의 조건에 대해 생각해보는 것이 효과적이라 생각합니다. 닮음을 잘 이해하고 나면 평행선 사이의 선분의 길이의 비 문제는 좋은 문제가 될 수 있습니다. 적절히 변형하거나 보조선을 그으며 닮음을 찾아가는 문제로, 설명해주기보다 문제처럼 제시하며 스스로 탐구하면 충분해 보입니다. 피타고라스 정리는 중학교 2학년으로 옮겨지며 교육과정 운영에 아쉬움이 큽니다. 3학년에서 제곱근 및 삼각비와 함께 더욱 풍부한 맥락에서 배울 기회가 사라진 느낌이 아쉽습니다. 그러한 아쉬움을 닮음과 연계하여 직각삼각형의 탐구 과정을 통해 피타고라스 정리를 발견하도록 수업을 구성하였습니다.

> **수업에서 필요한 학생 경험**
> • 상황을 적절히 축소 또는 확대하는 경험을 통해 문제를 해결하고, 문제 해결에 도움이 되는 방향으로 닮음을 정의해보는 경험.
> • 닮음 삼각형의 구성을 통해 삼각형의 닮음 조건을 찾아가는 경험.
> • 형성된 닮음의 개념을 토대로 평행선 및 피타고라스 정리 관련 문제를 해결해 보는 경험.

[9수04-10]이등변삼각형의 성질을 이해하고 설명할 수 있다.
[9수04-11]삼각형의 외심과 내심의 성질을 이해하고 설명할 수 있다.
**[성취기준재해석]** 무게중심, 외심, 내심을 하나로 묶어 '삼각형의 중심'이라는 단원으로 재구성하였습니다. 기본적으로 각 중심들의 의미에 맞게 중심들을 찾는 과정을 통해 각 중심들의 개념을 형성하고, 중심의 존재성 및 성질들을 확인하는 과정에서 필요한 다른 도형의 성질들을 증명하는 방법으로 구성되었습니다. 이러한 방식이 이등변삼각형의 성질을 이해할 필요를 느끼게 만들고, 각 도형의 중심에 대한 이해에 근본적으로 가까운 일이라 생각합니다.

> **수업에서 필요한 학생 경험**
> • 삼각형의 중심을 직접 찾아보는 경험
> • 찾은 중심의 존재성과 중심이 가지는 성질을 탐구하는 과정에서 필요한 논리적 정당화의 경험.

[9수04-12]사각형의 성질을 이해하고 설명할 수 있다.

# 4 수업의 흐름

## 1. 닮음 직각삼각형을 직접 그려 문제 해결하기
문제상황을 해결하기 위해 필요한 도형을 직접 그려봅니다. 자와 각도기를 이용하여 축소된 그림을 바탕으로 원래의 문제상황을 해결하는 경험을 하게 됩니다. 이처럼 의미있는 문제 해결이 가능하기 위해 도형을 축소 또는 확대해야 함을 인식하고, 이러한 문제 해결에 도움이 되는 경우에 한해 수학적으로 정의하는 것이 의미있음을 알게 하면서 닮음을 도입합니다.

## 2. 삼각형의 닮음
삼각형의 닮음은 다른 도형의 닮음에 비해 특별함을 부각합니다. 그리고 닮음을 스스로 구성하게 하며 닮음 조건들에 대해 탐색하게 합니다.

## 3. 피타고라스 정리
직각삼각형의 직각에서 빗변에 내린 수선의 발로 나누어진 3개의 삼각형의 탐구를 통해 피타고라스 정리를 증명합니다.

## 4. 무게중심과 평행선의 성질
무게중심의 의미를 파악해가며 개념을 정리합니다. 추가로 평행선의 성질에 대해서도 탐구합니다.

## 5. 삼각형의 외심과 내심
적절한 상황을 구성하여 해당하는 상황을 해결하는 과정에서 외심과 내심을 자연스럽게 찾게 만듭니다. 이때, 외심과 내심의 존재성을 증명하는 과정에서 직각삼각형의 합동 조건 등 추가로 필요한 내용들을 다룹니다.

## 섬까지 거리는?

아래와 같은 바닷가에 섬이 하나 보입니다. 섬까지의 거리를 어떻게 구할 수 있을까요?

질문1. 측정가능한 것들은 무엇이 있을까요?

질문2. 상황이 다음과 같을 때, 그림을 그려 해안선에서 섬까지의 거리를 구해 보세요.

점 A와 점 B 사이의 거리는 100m입니다. 점 A에서 섬을 바라볼 때, 선분 AB와 이루는 각도가 70°이고, 점 B에서 섬을 바라볼 때, 선분 AB와 이루는 각도가 80°였습니다.

| 그림 표현 | 해안선에서 섬까지 거리 구하기 |
|---|---|
|  |  |

질문3. 위와 같이 어떤 대상을 축소하거나 확대하는 것은 문제를 보다 쉽게 해결할 수 있도록 도울 수 있습니다. 그리고 이렇게 변형된 두 대상을 수학에서는 서로 **닮음**인 관계에 있다고 합니다. 닮음인 도형을 그리기 위해서는 어떻게 해야 할까요?

### 도형의 닮음

한 도형을 일정한 비율로 확대하거나 축소한 도형이 다른 도형과 합동일 때, 이 **두 도형은 서로 닮음인 관계**에 있다고 합니다. 또 **서로 닮음인 관계가 있는 두 도형을 닮은 도형**이라고 합니다. 이때 확대하거나 축소한 비율을 **닮음비**라고 하고, 확대하고 축소하여 합동인 상태에서 포개어지는 점과 변을 각각 서로 **대응점, 대응각**이라고 부릅니다. 만약 두 삼각형 ABC와 DEF가 서로 닮은 도형일 때, 기호 $\infty$를 사용하여 $\triangle ABC \infty \triangle DEF$와 같이 나타냅니다. 이때, 점 A, B, C가 각각 점 D, E, F와 대응된다는 것을 의미합니다. 따라서 점을 나열하는 순서는 중요합니다.

## 닮은 도형 그리기

질문4. 주어진 닮음비를 가지는 닮음 도형을 그려보고 닮음 도형간의 넓이는 어떤 관계에 있는지 확인해 보세요.

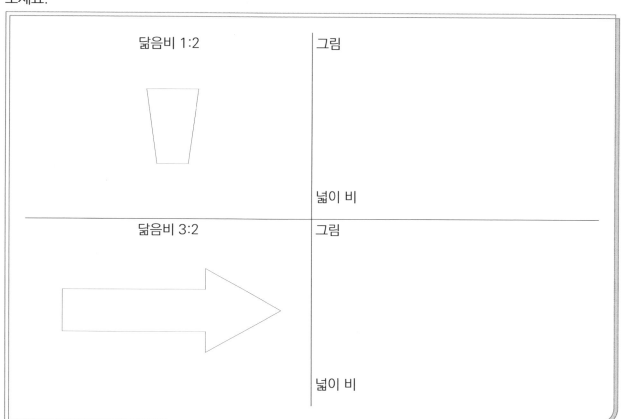

질문5. 한 모서리의 길이가 1일 정육면체 상자를 가로 2개, 세로 3개, 높이 4개를 쌓은 직육면체 기둥과 닮음비가 1:3인 직육면체 기둥을 만들 때, 필요한 정육면체 상자의 개수는 몇 개일까요?

## 섬까지 거리는?

- 준비물 : 각도기, 자
- 문제상황을 직접 자와 각도기로 축소하여 그려보는 것이 핵심입니다. 그리고 구하고자 하는 섬과 해안가까지의 거리에 대응하는 자신이 그린 그림 속의 길이도 직접 재는 것이죠. 이걸 토대로 실제 섬까지의 거리에 대해 예측해볼 수 있게 됩니다. 이러한 경험이 닮음을 어떻게 정의해야 하는 것인지, 왜 우리가 일상적으로 사용하는 닮음과는 차별화될 수밖에 없는지 자연스럽게 인식하게 됩니다.

## 닮은 도형 그리기

- 직접 닮은 도형을 그려보게 합니다. 임의의 도형을 정확하게 닮게 그리기 위한 노력의 과정에서 각의 크기가 고정된다는 사실이나, 길이의 비가 모두 일정하다는 사실 등이 더욱 명확하게 느껴질 것입니다. 또한 넓이나 부피비에 대한 인식을 갖는 데도 효과적입니다.

- 수업 후 좋았던 점, 아쉬운 점, 개선하고 싶은 점 등을 기록해보세요.

## 삼각형의 닮음

질문1. 세 변의 길이가 각각 1.5cm, 2cm, 2.5cm인 삼각형 ABC와 세 변의 길이를 2배 늘린 삼각형 DEF를 그리고, 두 삼각형은 닮음인지 확인해 보세요.

삼각형 ABC

삼각형 DEF

질문2. 선생님에게는 네 변의 길이가 모두 12cm인 마름모가 있습니다. 이 마름모와 3:1의 닮음비를 가지는 마름모를 그려보세요.

마름모 그림

질문3. 길이의 비를 이용하여 삼각형과 사각형의 닮음도형을 그릴 때 어떤 차이가 있나요?

# 삼각형의 닮음

질문4. 세 변의 길이를 동일하게 늘이는 방법 이외에 삼각형을 항상 닮게 그릴 수 있는 다른 방법을 찾아 보세요.

| 그림 표현 | 그린 방법 |
| --- | --- |
| <br>A<br>B        C | |
| | 항상 닮음이 되는 이유 |
| | |

| 그림 표현 | 그린 방법 |
| --- | --- |
| <br>A<br>B        C | |
| | 항상 닮음이 되는 이유 |
| | |

- 준비물 : 자, 컴퍼스
- 삼각형은 세 변의 길이의 비만 조절하면 항상 닮음이지만, 사각형부터는 그렇지 못합니다. 이러한 차이를 부각하면서 삼각형의 닮음을 탐구해야 할 필요를 느끼게 하고자 합니다.
- 질문2 : 미리 아주 기울어진 마름모를 하나 출력하거나 이미지 파일로 준비합니다. 그리고 학생들에게 길이 4cm인 마름모를 그리도록 요구하죠. 당연히 제각각의 마름모를 그릴 것이고, 선생님이 제시하는 마름모와 닮음이 아닌 것을 확인할 수 있을 것입니다. 그리고 그 이유를 마름모를 분할하여 분할한 삼각형이 서로 닮음이 아니라는 사실을 통해(질문1의 내용으로 가능함.) 삼각형의 닮음 학습의 필요성을 다시 한번 부각합니다.
- 질문4 : 크게 두 가지 형태로 그릴 수 있습니다. 물론 학생들은 더 다양한 형태일 수 있지만 결국 AA 닮음이나, SAS 닮음의 형태일 것입니다. 그리는 방법에 대해 상세하게 기술해야만 그 차이가 드러날 수 있습니다. 그러한 과정에 대해 함께 이야기 나누며, 여러 학생들의 방법이 결국엔 두 가지 방법과 동일하다는 것으로 토의를 통해 수업을 이끌어 가면 됩니다.

- 수업 후 좋았던 점, 아쉬운 점, 개선하고 싶은 점 등을 기록해보세요.

## 삼각형의 닮음

질문1. 다음과 같은 직각삼각형 ABC가 있습니다. 직각인 꼭짓점 C에서 빗변 AB에 수선을 그렸습니다. 수선의 발을 D라고 할 때, 서로 닮음인 관계에 있는 삼각형을 모두 찾고, 그 이유를 설명하세요.

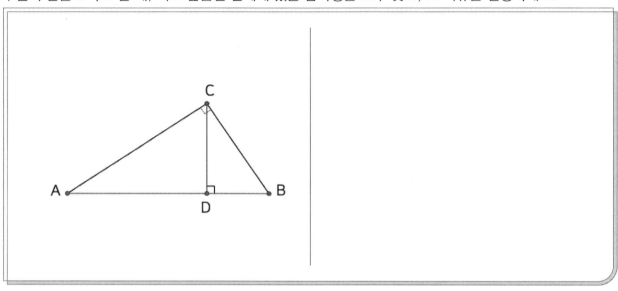

질문2. 각 꼭짓점의 대변의 길이를 a, b, c라고 표시해 보세요. 그리고 삼각형의 크기가 작은 순서대로 닮음 기호로 표시하고, 닮음비도 구하세요.

질문3. 세 삼각형의 넓이비는 어떻게 될까요?

질문4. 삼각형 ABC는 삼각형 ACD와 삼각형 CBD로 분할되어 있습니다. 즉 삼각형 ABC의 넓이는 다른 두 삼각형의 넓이의 합과 같습니다. 이를 토대로 어떤 관계식을 찾을 수 있을까요?

## 피타고라스 정리

직각삼각형 ABC에서 직각을 낀 두 변의 길이를 각각 a, b라 하고, 빗변의 길이를 c라고 하면 $a^2 + b^2 = c^2$을 만족합니다.

- 직각삼각형의 닮음을 통해 피타고라스 정리를 증명하는 과제입니다.
- 그림과 같은 직각삼각형의 분할은 그 자체로 닮음에서 흥미로운 소재가 될 수 있습니다. 세 개의 삼각형이 모두 닮음이 된다는 사실만으로 충분한 이야깃거리가 생깁니다.
- a, b, c는 모두 삼각형의 빗변이 되고, 이는 닮음비가 되게 됩니다. 따라서 넓이비는 $a^2 : b^2 : c^2$이 되며, 전체와 분할된 삼각형의 넓이의 합 관계를 생각하면 피타고라스 정리가 완성됩니다.

## 수업 성찰 일지 작성

- 수업 후 좋았던 점, 아쉬운 점, 개선하고 싶은 점 등을 기록해보세요.

# 삼각형의 무게중심

질문1. 지우는 삼각형을 오른쪽 그림과 같이 세워보고 싶었습니다. 그래서 여러 번 시도하다 보니 어렵지 않게 성공할 수 있었습니다. 하지만 궁금했습니다. 어떻게 하면 정확하게 손가락을 가져다 대야 할 위치를 찾을 수 있을까요? 자신이 생각한 방법과 그 방법에 대한 이유를 설명하세요.(삼각형은 플라스틱으로 만들어졌으며, 모든 부분의 무게는 동일합니다.)

질문2. 위 방법으로 삼각형의 무게중심을 찾는 것은 항상 가능한가요? 무엇이 보장되어야 할까요?

질문3. 동일한 두 삼각형에서 서로 다르게 두 개의 중선을 선택해보았습니다. 이때 두 교점의 위치가 같음을 어떻게 확인할 수 있을까요?

확인 방법 :

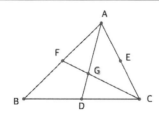 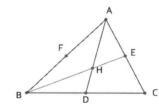

### 삼각형의 무게중심

삼각형의 세 중선은 한 점에서 만나고, 이 점을 삼각형의 무게중심이라고 합니다.
무게중심은 세 중선의 길이를 꼭짓점으로부터 각각 2 : 1로 나눕니다. 즉,
$$\overline{AG} : \overline{GD} = \overline{BG} : \overline{GE} = \overline{CG} : \overline{GF} = 2 : 1$$

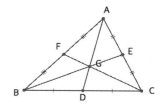

## 삼각형의 무게중심의 성질

질문4. 지우는 삼각형의 무게중심을 알게 되고 다음과 같은 궁금증이 생겼습니다.
　　"세 개의 중선으로 삼각형이 총 6개로 나누어졌는데, 무게중심이라면 이 모든 삼각형의 넓이가 같지 않을까?"
지우의 생각이 맞는지 설명해 보세요.

## 평행선의 성질

질문5. 가로로 그어진 세 개의 직선은 모두 평행합니다. 이때 세 직선을 통과하는 서로 다른 네 직선을 보고 각 직선별로 세 개의 평행한 직선과 만나 생기 두 선분의 길이의 비(예 $\overline{A_1A_2} : \overline{A_2A_3}$)를 구해 보세요.

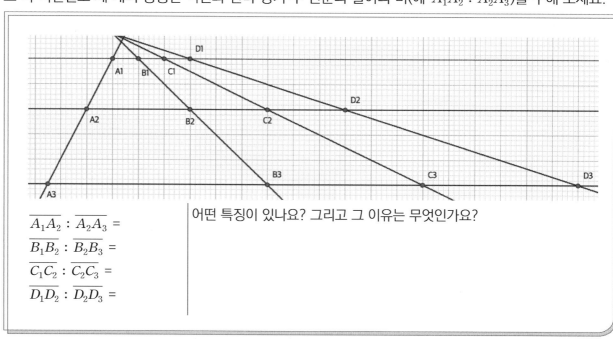

$\overline{A_1A_2} : \overline{A_2A_3} =$

$\overline{B_1B_2} : \overline{B_2B_3} =$

$\overline{C_1C_2} : \overline{C_2C_3} =$

$\overline{D_1D_2} : \overline{D_2D_3} =$

어떤 특징이 있나요? 그리고 그 이유는 무엇인가요?

- 준비물 : 각도기, 자

**삼각형의 무게중심**

- 질문1 : 적절히 중간에 발문을 진행해보는 것을 가정하였습니다. 예를 들어, 기다란 막대기의 무게중심으로부터 시작해볼 수 있습니다. 자연스럽게 막대의 중점을 찾을 것이고, 삼각형을 막대의 합의 형태로(적분할 때처럼) 생겼다고 가정하는 발문 또한 유효해 보입니다. 학생들과의 상호작용으로 충분히 중선을 이끌어내는 것이 가능하다고 생각합니다.
- 질문2 : 하지만 세 중선이 한 점에서 만난다는 보장을 할 수 없습니다. 그럴 것 같지만, 그렇지 않을 수 있음을 의심하게 하며 질문3을 해결할 수 있도록 합니다.
- 질문3 : 보조선을 그어 직접 닮음인 두 삼각형을 찾고 닮음비를 구해야 하는 상황입니다. 평행선 사이의 길이의 비를 학습하지 않은 상태에서 제공되는 문제로, 오히려 배우지 않았기에 흥미로운 문제가 될 수 있습니다.

**평행선의 성질**

- 어떻게 직선을 그어도 새롭게 생긴 두 선분의 길이의 비가 일정하다는 사실은 흥미로울 것 같습니다. 이러한 흥미가 정당화로 이어지길 기대합니다.

- 수업 후 좋았던 점, 아쉬운 점, 개선하고 싶은 점 등을 기록해보세요.

# 통신타워 세우기

더욱 빠른 통신을 위한 새로운 세대의 통신타워를 건설하고 있습니다. 이때, 통신타워들을 서로 연결하여 삼각형으로 만들고, 삼각형마다 세 꼭짓점에서 이르는 거리가 동일한 점에 새로운 통신타워를 추가로 세우려고 합니다. 다음과 같이 점 A, B, C에 통신타워가 세워져 있을 때, 새로운 통신타워의 위치를 찾아주세요.

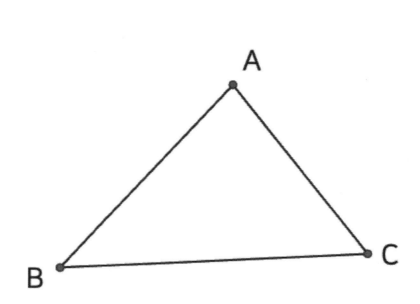

질문1.다음 두 점 A, B와 같은 거리에 있는 점을 최대한 많이 찍어보고, 찍힌 점들의 특징을 살펴보세요.

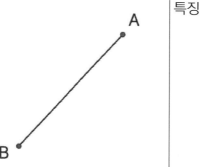

특징 :

질문2. 위에서 찾은 점들과 점 A, 점 B를 이어 만든 삼각형은 무슨 삼각형인가요? 그리고 위 활동을 통해 어떤 성질을 발견할 수 있나요?

# 통신타워 세우기

질문3. 세 점 A, B, C에서 같은 거리에 있는 점을 찾아보고, 실제로 같은 거리에 있는지 길이를 측정하여 확인해 보세요.

질문4. 삼각형의 세 변의 수직이등분선의 교점은 항상 한 점에서 만난다고 할 수 있나요? 다음과 같이 선분 AB의 수직이등분선과 선분 AC의 수직이등분선이 점 O에서 만난다고 할 때, 나머지 하나의 수직이등분선도 점 O에서 만날 수밖에 없음을 설명하세요.

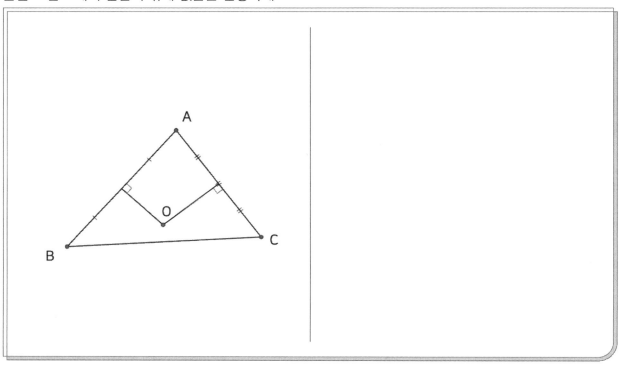

질문5. 이제 통신타워가 모두 4개가 생겼습니다. 그리고 4개의 점을 삼각형으로 분할하면 3개의 삼각형이 됩니다. 각 삼각형에 속한 통신타워들에 대해 같은 거리에 있는 통신타워를 추가로 건설하려고 합니다. 추가로 3개의 통신타워의 위치를 찾아보고, 어떤 특징을 가지는지 정리해보세요.

## 삼각형의 외심

삼각형의 세 꼭짓점에 이르는 거리가 같은 점을 찾기 위해서는 삼각형의 세 변의 수직이등분선의 교점을 찾아야 합니다. 세 변의 수직이등분선은 항상 한 점에서 만나고, 이 점에서 세 꼭짓점에 이르는 거리가 같기 때문에 원을 그릴 수 있습니다. 삼각형의 밖에 접하고 있기 때문에 원은 삼각형에 **외접**한다고 하고, 이 원을 삼각형의 **외접원**이라고 합니다. 또한 원의 중심을 삼각형의 외접원의 중심이라는 의미로 삼각형의 **외심**이라고 부릅니다.

- 준비물 : 자
- 삼각형의 외심을 도입하기 위해 통신타워를 세우는 문제상황을 설정하였습니다. 바로 찾아보게 하는 시간을 잠시 제공하고 두 점으로 이어지게 합니다. 두 점에서 같은 거리에 있는 점들은 선분의 수직이등분선 위에 있는 점들입니다. 그리고 이 점을 찍는 과정은 점 A, B에 각각 이르는 거리가 같게 만들려는 시도였기 때문에 이등변삼각형의 꼭짓점을 찍은 것과 같습니다. 여기서 이등변삼각형의 밑각의 크기가 같고, 꼭지각의 이등분선이 수직이등분선이 된다는 사실 등을 확인할 수 있으며, 간단히 정당화하고 넘어가는 것도 좋습니다. 단, 전체 흐름을 해치지 않는 선에서 다루는 것이 좋을 것 같습니다.
- 질문3 : 실제 점을 찾아보게 하고 거리가 같은지 자로 재어보게 합니다.
- 질문4 : O에서 수선을 내려 선분 BC를 이등분하는지 확인해야 합니다. 이때 교과서에서는 RHS합동을 이용합니다. 아직 RHS합동을 배우지 않았기에, RHS합동을 이용하지 않고 증명해 보는 것도 시도해볼 수 있습니다. 가능한 여러 방법이 있으니 선생님들도 직접 미리 해보시기를 바랍니다. 그중 하나가 RHS합동을 정의할 때 사용하는 증명 방식을 그대로 적용하는 방법이기도 합니다. 충분히 탐구한 후 RHS합동에 대해서도 다루어주고 추가로 RHA합동에 대해서도 이야기해 볼 수 있습니다.(RHA는 특별히 사용되는 곳이 없으므로, RHS다룰 때 함께 다루시기를 바랍니다.)
- 질문5 : 추가적인 외심을 찾는 경우 2개의 둔각삼각형과 1개의 직각삼각형에 대해 찾게 되도록 그림을 설계하였습니다. 따라서 이때 삼각형의 모양에 따른 외심의 위치에 대해 함께 다룹니다.

- 수업 후 좋았던 점, 아쉬운 점, 개선하고 싶은 점 등을 기록해보세요.

# 삼각형 시계 만들기

오른쪽 그림과 같이 삼각형 모양의 시계를 만들려고 합니다. 가장 긴 초침이 삼각형을 벗어나지 않으면서 최대한 길게 만들고 싶습니다. 어디에 시계의 중심을 두어야 하고, 초침의 최대 길이는 얼마가 될까요?

질문1. 어떤 점을 찾아야 할까요?

질문2. 다음 두 선분과 거리가 동일한 점을 5개 찾고, 찾은 방법을 설명하세요.

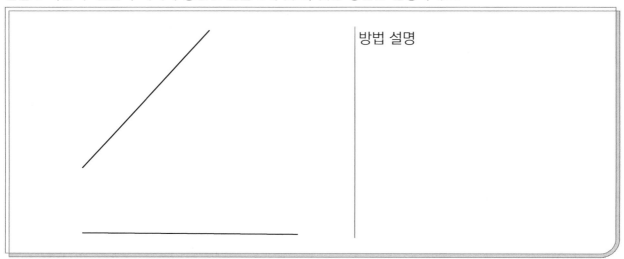

방법 설명

질문3. 다음과 같은 모양의 삼각형 시계의 중심과 초침의 최대 길이를 표시하고, 초침의 끝의 이동 경로를 표시하세요.

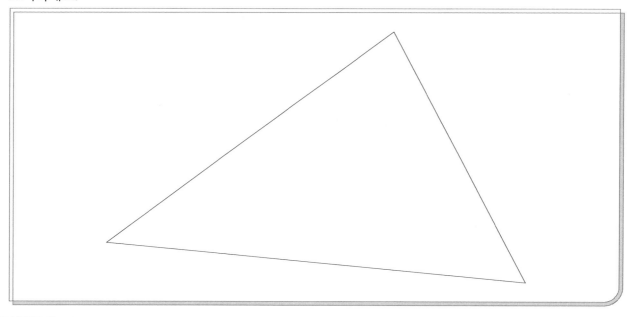

## 직선과 원의 만남

삼각형 시계에서 초침의 이동 경로(원)와 시계의 테두리처럼 직선과 원이 한 점에서 만날 때, 직선은 원에 **접한다**라고 합니다. 이때, 직선을 원의 **접선**, 직선과 원이 만나는 한 점을 **접점**이라고 합니다. 접점에서 접선과 반지름은 수직으로 만납니다.

## 삼각형 시계 만들기

질문4. 삼각형의 세 각의 이등분선의 교점은 모두 항상 한 점에서 만난다고 할 수 있나요? 이를 정당화하기 위해 필요한 그림을 그리고 정당화해보세요.

## 삼각형의 내심

삼각형의 세 변에 이르는 거리가 같은 점을 찾기 위해서는 삼각형의 세 각의 이등분선의 교점을 찾아야 합니다. 세 각의 이등분선은 항상 한 점에서 만나고, 이 점에서 세 변에 이르는 거리가 같기 때문에 원을 그릴 수 있습니다. 삼각형의 안에 접하고 있기 때문에 원은 삼각형에 **내접**한다고 하고, 이 원을 삼각형의 **내접원**이라고 합니다. 또한 원의 중심을 삼각형의 내접원의 중심이라는 의미로 삼각형의 **내심**이라고 부릅니다.

## 학습지 활용법

- 준비물 : 자, 컴퍼스
- 삼각형 시계 만들기를 통해 내심을 탐구하는 과제입니다. 질문1에서 선분에 이르는 거리로 생각할 수 있도록 잘 이야기해주어야 추후 활동이 원활하게 진행될 수 있습니다.
- 선분까지의 거리로 관점을 바꾸고 일부러 각을 삭제해 보았습니다. 선행학습으로 각의 이등분으로 무조건 접근하려는 시도를 막음과 동시에 각의 의미를 더욱더 강하게 드러내기 위함입니다.
- 컴퍼스와 자를 이용하여 점을 찾는 과정에서 각의 이등분선의 작도와 유사한 형태의 방법들이 자연스럽게 등장하게 됩니다. 즉 본인의 활동이 결국 각의 이등분선을 그리기 위한 활동이었음을 연결지어 주면 됩니다.
- 질문3 : 내심을 찾고 초침의 이동 경로를 표시하기 위해서는 초침을 표시해야 하는데, 여기서 세 변에 수선을 내려야 한다는 것을 확실히 알게 만들 수 있습니다. 학생들의 흔한 실수가 각의 이등분선과 만나는 점을 내접원의 반지름으로 택하는 일인데, 초침의 이동 경로를 표시하는 활동에서 자연스럽게 내접원의 반지름이 무엇인지 알게 될 것입니다.

## 수업 성찰 일지 작성

- 수업 후 좋았던 점, 아쉬운 점, 개선하고 싶은 점 등을 기록해보세요.

# 4 / 확률

※ **수업의 목표와 흐름**

**1. 확률**

CHAPTER

# 4

# 확률

확률은 매우 익숙한 단어입니다. 학생들은 아직 확률을 배우지 않았어도 이미 일상적으로 많이 사용하고 있습니다. 따라서 경우의 수가 아닌 확률로 확률 단원을 시작하는 것은 좋은 아이디어가 될 수 있습니다. 많이 사용하는 단어지만 잘 알지 못하는 단어 '확률'을 배우다 보니 자연스럽게 '경우의 수'를 알게 되도록 수업을 구성해보겠습니다.

# 1 수업목표

확률을 경우의 수로 생각할 수 있게 하는 조건을 이해하고, 이때 확률 계산의 편리함을 알게 합니다. 다양한 확률 문제 상황에서 자연스럽게 경우의 수를 계산하고, 확률의 계산 방식으로 사고가 확장될 수 있기를 기대합니다.

# 2 경험 구성의 원리

경우의 수나 확률의 계산은 공식처럼 해결하는 것이 아닌 계산의 원리가 드러날 수 있도록 합니다.

# 3 성취기준 재해석을 통한 학생 경험 구성

[9수05-04]경우의 수를 구할 수 있다.

[9수05-05]확률의 개념과 그 기본 성질을 이해하고, 확률을 구할 수 있다.

[성취기준재해석] 확률의 개념은 기본적으로 통계적 확률에 기반한다고 생각합니다. 이 중 각 사건의 동가능성이 보장되는 경우 특별하게 수학적 확률을 계산함으로써 손쉽게 확률을 계산할 수 있게 됩니다. 따라서 경우의 수는 확률을 구하는 과정에서 학습하는 것이 자연스럽고, 그 계산의 이유를 보다 명확히 파악할 수 있을 것입니다. 확률을 계산할 때, 수학적 확률을 기반으로 한 계산은 비교적 자연스럽게 진행되지만, 통계적 확률을 기반으로 한 확률을 계산할 때 비교적 직관적이지 않습니다. 이를 보완할 수 있는 수업이 요구됩니다.

> **수업에서 필요한 학생 경험**
> • 가능성이 동일한 경우, 경우의 수의 계산이 편리하다는 것을 느끼는 경험
> • 확률의 계산을 경우의 수를 통해 구하는 경험
> • 통계적 확률의 계산을 경우의 수를 통한 확률 계산에서 확장시키는 경험

# 4 수업의 흐름

## 1. 시뮬레이션을 통한 통계적확률과 수학적 확률의 연결
2개의 주사위를 던지는 시뮬레이션을 직접 게임을 통해 시행해보고, 프로그래밍이 된 프로그램으로 많은 횟수를 비교하며 확률의 의미를 생각하고, 동가능성인 경우 수학적 확률로 정의합니다.

## 2. 연금복권 문제를 통한 확률 계산
실제 상황을 확률과 경우의 수를 구해 보며 다양한 확률과 경우의 수의 문제를 해결해 보도록 구성되었습니다.

## 3. 원판돌리기를 통한 동시에 일어날 확률
원판돌리기 문제를 이용하여 동시에 일어날 확률에 대해 학습합니다. 처음에는 각 눈이 나올 확률이 동일하여 경우의 수로 계산할 수 있는 문제를 다루고, 다음으로 각 눈이 나올 확률이 다른 원판을 통해 확률을 계산하게 하였습니다.

## 주사위 던지기 게임

차례대로 주사위 2개를 던져 주사위의 합이 나온 칸을 색칠합니다. 가장 먼저 칸을 가득 채운 숫자가 승리합니다. 승리할 숫자를 맞춰보세요. 가위바위보로 순서를 정해 차례대로 하나씩 원하는 숫자를 선택하고 선택한 숫자 아래에 이름을 적고 게임을 시작합니다.

### 게임판

| | | | | | | | | | | | |
|---|---|---|---|---|---|---|---|---|---|---|---|
| | | | | | | | | | | | |
| | | | | | | | | | | | |
| | | | | | | | | | | | |
| | | | | | | | | | | | |
| | | | | | | | | | | | |
| | | | | | | | | | | | |
| | | | | | | | | | | | |
| | | | | | | | | | | | |
| | | | | | | | | | | | |
| 1 | 2 | 3 | 4 | 5 | 6 | 7 | 8 | 9 | 10 | 11 | 12 |
| 이름 | | | | | | | | | | | |

### 게임 결과(모둠 합계)

| 1 | 2 | 3 | 4 | 5 | 6 | 7 | 8 | 9 | 10 | 11 | 12 |
|---|---|---|---|---|---|---|---|---|---|---|---|
| 승리 횟수 | | | | | | | | | | | |

# 주사위 던지기 게임

질문1. 어떤 숫자를 선택하는 것이 승리할 가능성이 클까요? 그렇게 생각한 이유는 무엇인가요?

질문2. 시뮬레이션을 해보고 자기 생각이 맞는지 점검해보고, 왜 그러한 결과가 나오는지 설명해 보세요.

설명 :

| 합 | 2 | 3 | 4 | 5 | 6 | 7 | 8 | 9 | 10 | 11 | 12 |
|---|---|---|---|---|---|---|---|---|---|---|---|
| 시뮬레이션 결과 | | | | | | | | | | | |
| 수학적 확률 | | | | | | | | | | | |

질문3. 만약 다음과 같이 직육면체 주사위를 굴려도 동일한 결과가 나올까요? 확률을 쉽게 구하기 위해서 무엇이 약속되어 있어야 하나요?

시뮬레이션을 통한 각 눈이 나올 확률

| 눈 | 1 | 2 | 3 | 4 | 5 | 6 |
|---|---|---|---|---|---|---|
| 확률 | | | | | | |

경우의 수로 확률을 구하기 위해 필요한 약속

## 확률

일반적으로 확률은 실험이나 관찰을 통해 나타난 상대도수를 바탕으로 정의합니다. 예를 들어, 날씨 예측, 주가 예측, 백신효과 예측 등 다양한 분야에서 이러한 방식으로 사용되고 있습니다. 이러한 확률을 통계적 확률이라고 부릅니다. 확률은 때론(_____) 통계적 실험이나 관찰을 거치지 않아도 구할 수 있는 경우가 있습니다. 이런 경우 $(\text{사건 } A \text{가 일어날 확률}) = \dfrac{(\text{사건의 경우의 수})}{(\text{전체 경우의 수})}$ 과 같이 확률을 구하게 되며 수학적확률이라고 합니다. 따라서 사건 A가 일어날 확률을 $p$라고 하면, $p$값의 범위는 _____가 됩니다.

※ 같은 조건에서 반복할 수 있는 실험이나 관찰에서 나타나는 결과를 **사건**이라고 하고, 그 사건이 일어난 가짓수를 **경우의 수**라고 합니다.

- 준비물 : 모둠별 2개의 주사위
- 게임판은 모둠별로 1장을 제공합니다.
- 각자 하나의 숫자를 선택하고 번갈아 가며 주사위 2개를 던지고, 해당 숫자가 나올 때마다 칸을 색칠합니다. 교실에 6개의 모둠이 있다고 가정하면 아마 게임 결과의 합계가 유의미한 결과가 나오지 않을 가능성이 큽니다. https://foreducator.com/주사위게임 에 접속하시면 원하는 횟수만큼 시뮬레이션할 수 있습니다. 각 눈의 합의 횟수와 막대그래프로 결과를 보여줍니다. 1000번 혹은 10000번 정도 시행해보고 시뮬레이션 결과를 상대도수로 표현해보게 합니다. 이때 수학적 확률 칸은 아직 작성하지 않습니다.
- 질문3 : 직육면체 주사위의 시뮬레이션을 진행합니다. https://foreducator.com/직육면체주사위 에 접속하여 동일하게 실행해보고 그 결과를 작성해 보게 합니다. 각 주사위의 눈이 나올 확률이 $\frac{1}{6}$ 이 되기 위해 필요한 조건을 생각하게 하고, 그러한 조건으로 수학적 확률이 정의됨을 이야기합니다.
- 질문3을 모두 해결하고 난 후 다시 질문2로 돌아갑니다. 주사위 2개 던지는 상황에 대해 이야기해보며 수학적확률을 구해 보도록 합니다. 수십번 2개의 주사위를 던져본 경험이 전체 경우의 수나 각 사건의 경우의 수들을 구하는데 도움이 될 것입니다.

## 수업 성찰 일지 작성

- 수업 후 좋았던 점, 아쉬운 점, 개선하고 싶은 점 등을 기록해보세요.

# 연금복권 720+

질문1. 1등에 당첨되면 월 700만원씩 20년 동안 지급되는 연금복권이 있습니다. 1조부터 5조까지 각 조별로 0부터 9까지 숫자가 각각 적힌 6자리 숫자(예, 3조 322930)로 구성되어 있고 유일하게 발행됩니다. 1등은 모든 숫자가 일치하는 경우 즉, 단 1장만 존재합니다. 1등이 당첨될 확률은 얼마일까요?

질문2. 2등에 당첨되면 월 100만원씩 10년간 지급됩니다. 2등은 6자리 숫자가 모두 일치하는 경우 당첨일 때(1등 복권 제외), 2등이 당첨되는 경우의 수와 확률을 구해 보세요.

질문3. 아래의 조건을 보고 추가적인 당첨 등위의 경우의 수와 확률을 구해 보세요.

| 등위 | 당첨 조건 | 당첨금 | 경우의 수 | 확률 |
|---|---|---|---|---|
| 3등 | 오른쪽 끝부터 연속 5자리 모두 일치 | 백만원 | | |
| 4등 | 오른쪽 끝부터 연속 4자리 모두 일치 | 십만원 | | |
| 5등 | 오른쪽 끝부터 연속 3자리 모두 일치 | 5만원 | | |
| 6등 | 오른쪽 끝부터 연속 2자리 모두 일치 | 5천원 | | |
| 7등 | 오른쪽 끝부터 연속 1자리 모두 일치 | 천원 | | |

# 연금복권 720+

질문4. 월 100만원 이상 연금을 받을 수 있는 경우의 수와 확률을 구해 보세요.

질문6. 연금복권을 샀을 때, 당첨될 확률(1등부터 7등까지 아무거나)을 구해 보세요.

질문7. 연금복권을 샀을 때, 아무것도 당첨되지 않을 확률을 구해 보세요.

- 실제적이고 흥미로울만한 하나의 문제로 확률과 경우의 수의 다양한 내용을 함께 다뤄보기 위해 과제를 개발하였습니다. 학생들에게 복권으로 익숙한 것은 로또일테지만, 로또는 숫자가 나온 순서가 상관없기 때문에 중학교 확률에서 다루기 적합하지 않은 면이 있습니다. 그래서 연금복권을 소재로 삼았고, 모두 사실에 기반하였으나, 보너스 번호 조건은 삭제하였습니다.
- 질문1 : 총 경우의 수를 구하는 문제로 500만장입니다.
- 질문2, 질문3 : 각 경우의 수를 구하고 확률로 표현해보는 과제입니다. 주의할 점은 1등은 모든 등위에 만족하는 결과이지만 오직 한 번만 카운팅합니다. 즉 상위 당첨 번호는 하위 당첨에서 제외되어 중복으로 여러 등위에 당첨될 수 없습니다.
- 질문4, 질문5 : 확률의 합과 관련된 문항입니다.
- 질문6 : 여사건에 관련된 질문입니다. 직접 구해 보는 시간을 잠시 가지게 하는 것이 여사건의 필요성을 느끼게 만들 수도 있으니 시간을 부여해보시기를 바랍니다.

- 수업 후 좋았던 점, 아쉬운 점, 개선하고 싶은 점 등을 기록해보세요.

## 원판 돌리기

다음과 같은 세 원판 중 하나를 선택한 뒤 세 원판을 동시에 돌립니다. 가장 높은 숫자가 적힌 원판을 선택하면 승리합니다. 어떤 원판을 선택하는 것이 좋을까요?

질문1. 직관적으로 어떤 원판을 선택하는 게 가장 유리하다고 생각하나요? 그렇게 생각한 이유는 무엇인가요?

질문2. 각 원판이 이길 경우의 수를 나열해보고 각 원판이 이길 확률을 계산해 보세요.

|       | A 원판 | B 원판 | C 원판 |
|-------|--------|--------|--------|
| 경우  |        |        |        |
| 확률  |        |        |        |

질문3. 동일한 게임을 두 번 연속으로 진행합니다. 이때, 두 번 모두 A 원판이 승리할 확률은 얼마인가요?

질문4. 동일한 게임을 세 번 연속으로 진행합니다. 이때, 적어도 한 번은 B 원판이 이길 확률은 얼마인가요?

# 원판 돌리기 2

이제 원판에서 각 숫자가 차지하는 넓이가 달라졌습니다.

A원판

B원판

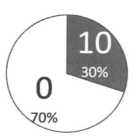

C원판

질문5. 각 원판이 이길 수 있는 상황을 서술해보세요.

| | A 원판 | B 원판 | C 원판 |
|---|---|---|---|
| 서술 | | | |

질문6. 각 원판이 이길 확률을 계산해 보세요.

확률 계산

질문7. 동일한 게임을 두 번 연속으로 진행합니다. 이때, 두 번 모두 A 원판이 승리할 확률은 얼마인가요?

질문8. 만약 2개의 원판을 선택할 수 있다면, 어떤 두 원판을 선택하는 것이 가장 유리한가요? 그리고 승리할 확률은 얼마인가요?

질문9. 동일한 게임을 세 번 연속으로 진행합니다. 이때, 적어도 한 번은 B 원판이 이길 확률은 얼마인가요?

- 원판돌리기1은 경우의 수를 바탕으로 확률을 계산하고, 원판돌리기2는 각각의 확률을 직접 계산에 이용해야 합니다. 이 두 과정은 상당한 수준 차이가 있음에도 교과서에서는 간과하고 있다고 생각합니다. 여전히 이 간극을 좁히기에는 부족하다고 판단되지만, 이러한 자료들이 많이 보급되어 다양한 형태로 경험될 수 있기를 기대해봅니다.

## 원판돌리기 1

- B 원판이 가장 유리합니다. 하지만 숫자의 합을 고려할 경우 A 원판을 뽑는 학생들도 많이 있을 수 있습니다. 다양한 의견을 들으며, 자유롭게 소통할 수 있는 분위기를 만들어 보세요.
- 질문2 : 각 눈이 나올 확률이 모두 동일하기에 경우를 모두 나열하는 방식으로 확률을 계산할 수 있습니다.
- 질문3, 질문4 : 확률의 곱과 '적어도 한 번은'과 관련한 문항입니다. 경우의 수로 해석해도 이 경우는 어렵지 않습니다만, 원판 돌리기2 활동에서 연결 지어 생각하게 만드는 게 다음에 필요합니다.

## 원판돌리기 2

- 질문5 : 질문2와 유사하지만 각 경우마다 발생하는 확률이 서로 다릅니다. 혼동을 피하기 위해 상황을 서술하라고 작성하였습니다.
- 질문6 : 저는 확률 학습에서 이 부분이 가장 어렵다고 생각합니다. 경우의 수로 만들어진 확률이 아닌 제공된 확률을 서로 곱하는 상황을 이해하는 일은 그리 간단하지 않습니다. 특히 학생들이 비에 대한 개념이 약한 경우가 많고, 확률에서도 이 부분을 충분히 다루지 못하고 있기에 단순히 공식을 외워 답을 구하는 학생이 많을지라도 정확히 이해하고 있는 학생은 드물다고 생각합니다. 따라서 저는 이 부분에 시간을 드려 충분히 토의하고 이야기 나눌 필요가 있다고 생각합니다. 동형의 수학적 확률 모델을 가져오는 것도 좋은 방법이 될 수도 있고, 분수의 곱셈 원리가 도움이 될 수도 있을 것입니다. 다양한 생각들을 공유하고 다양한 관점에서 바라볼 수 있도록 지도할 필요가 있습니다.
- 질문7, 질문8, 질문9 : 이 질문들을 통해 질문 6의 개념을 다시 한번 확인하고 점검하여 이해를 위한 기회를 제공합니다. 질문3과 질문4를 그대로 사용한 이유는 이 질문들과 함께 질문들을 이해해보기를 기대하였기 때문입니다.

## 수업 성찰 일지 작성

- 수업 후 좋았던 점, 아쉬운 점, 개선하고 싶은 점 등을 기록해보세요.

## 저자 소개

>> **박진환**
- 광양골약중학교 수학교사
- '수학하는 즐거움' 시리즈 개발 및 '수업의 과정' 저자
- 학생들에게 배움의 즐거움을 회복시켜주기 위해 고민하고 실천하고 있습니다.
- 교사들을 위한 웹사이트(https://foreducator.com)을 운영하는 취미 개발자입니다.

>> **주희주**
- 순천별량중학교 수학교사
- 취미수학을 가르치는 것이 꿈입니다.

>> **김순화**
- 구례중학교 수학교사
- 열정적인 수학 교육에 헌신한 지 15년, 학생들의 마음속에 수학의 아름다움을 심어주는 데 진심인 교사입니다.

>> **한혜진**
- 광영중학교 수학교사
- 수업하는 게 즐거운 6년차 수학교사입니다.

>> **조유정**
- 광양골약중학교 수학교사
- 게이미피케이션 수학을 실천하는 교사
- '아하'를 느끼는 수학을 추구하는 교사

# 수학하는 즐거움 중학교 2학년

발  행 | 2024년 02월 27일
저  자 | 박진환 주희주 김순화 한혜진 조유정
**펴낸이** | 한건희
**펴낸곳** | 주식회사 부크크
**출판사등록** | 2014.07.15.(제2014-16호)
주  소 | 서울특별시 금천구 가산디지털1로 119 SK트윈타워 A동 305호
전  화 | 1670-8316
이메일 | info@bookk.co.kr

ISBN | 979-11-410-7408-1

www.bookk.co.kr